CENTURY MODERN LANGUAGE SERIES

EDITED BY
KENNETH McKENZIE

NUESTRA NATACHA

ALEJANDRO CASONA

NUESTRA NATACHA

Edited by

WILLIAM H. SHOEMAKER

University of Illinois

NEW YORK

APPLETON-CENTURY-CROFTS

DIVISION OF MEREDITH CORPORATION

PREFACE

This textbook edition of Alejandro Casona's *Nuestra Natacha* brings to American students of Spanish language and literature the first authentic note of the new young Spain of the Second Republic, of vital 1936 Spain. Not only is *Nuestra Natacha* probably the most popular of all modern Spanish plays, it is, with a single exception, it is believed, the only piece of Spain's dramatic literature since the first World War to be offered to American students. Since simple natural dialogue is the incomparably best material for the teaching and learning of a living language, it is hoped that for this reason, too, the present volume will supply a current need.

The text is based on the first (Poveda, Madrid, 1936) and the latest (Losada, Buenos Aires, 1943) editions. Editorial selection between variant readings, which are very few in number, has been determined on the basis of clarity, completeness, and simplicity. Changes from both texts adopted in this edition, made solely in the interest of the American student, do not exceed a dozen words. With the exception of a few entomological terms, the language of *Nuestra Natacha* is very simple, although fairly idiomatic, and within easy and early range of American students. It is believed that the play can be studied with profit by college students in their second or third semester of Spanish, or by high school students in their second year.

For the greater intelligence and practical use of the text, the edition is equipped with an introduction, exercises, and a vo-

cabulary. The Introduction presents an account of Casona's life
and career to May, 1946, with some critical commentary on his
published works—the first study of the author and his work in
English and, so far as is known, the most extensive, and factually
the most nearly complete, treatment to appear in any language.
It is perhaps unnecessary to say that without the author's full
and generous coöperation this study could hardly have been
made.

Rather elaborate batteries of exercises accompany the cor-
respondingly numbered sections (I–XXII) of the text. The
exercises are of different kinds, but all involve primarily an
intensive study of the text itself. If they succeed in sharpening
linguistic observation, in developing associative memory, and in
encouraging linguistic analysis, they will have achieved a major
part of their purpose. Exercises **A, B, C,** and **D** *a*) of sections
I–XVIII and **A** and **B** *a*) of sections XIX–XXII—or through
the first *traducción* drill—are based directly and exclusively on
the corresponding text. Knowledge of verb and pronoun forms
and uses is the only "outside" knowledge essential to their successful and profitable performance. The second *traducción*
exercise challenges the student to use other grammatical knowledge and observations, but here again stress is laid on verbs and
pronouns, the two fundamentals for American students in
learning the form and structure of the Spanish language. In
addition to exercise **A** (I–XVIII), the first *traducción* exercise
contributes directly to vocabulary building by stressing the
often neglected but extremely important little connectives, the
conjunctions and especially the prepositions. Oral preparation
and delivery in class will be found profitable for all the exercises, except that the second translation should probably also be
written. The *temas* and *proyectos* are self-explanatory; they are

calculated to stimulate initiative, freedom, and originality, which may be indulged to advantage after the text has been mastered. A thorough utilization of the exercise material will develop two essentials in language learning and use: the habit of repetition and the application of logical and analytical thinking—one childlike, the other more intellectually mature.

The vocabulary includes the words of the introduction as well as those of the text and exercises, and is intended to be complete except for the systematic omissions indicated in the preliminary note at the head of the vocabulary.

It is a pleasure to acknowledge with grateful appreciation the helpful criticism of Dr. Kenneth McKenzie, the splendid co-operation of Mr. Dana H. Ferrin and the editorial staff of D. Appleton-Century Company, and most especially, the unstinting generosity of Mr. Alejandro Casona both in supplying biographical and other information and in granting permission to make this edition "con destino a los estudiantes de castellano, de las universidades y colegios de Norteamérica."

W. H. S.

CONTENTS

INTRODUCTION

LIFE AND WORK OF
ALEJANDRO CASONA

For thirty-three years the life and career of Alejandro Casona was framed within the many-sided civil struggle of his country—of a Spain seeking a new life of freedom against overwhelming odds. It was the life and career of a quiet, modest school teacher to whom education and culture were of vital significance and in whom the creative spark came to glow warm and bright as it embodied his ideals in stirring works for the Spanish stage. The next ten years were a decade of exile, of wandering and uncertainties, of devotion to dramatic art, of eventual establishment in Argentina, where today Casona at forty-three leads a life in theater and motion picture activities that is both busy and successful, but not untinged with nostalgic reminiscences and yearning.

The life of the teacher-playwright began on March 23, 1903, when a son was born in the Asturian village of Besullo to Gabino Rodríguez and his wife Faustina Álvarez. He was the third of their five children. If ever it may be said that anyone is born to one particular active career, Alejandro Rodríguez Álvarez was such a person. His father, a native of Besullo, was the *maestro rural* and later *director de graduada* in the provincial capital city of Oviedo; and his mother, from the nearby town of Canales in the province of León, was also a teacher. Of his four brothers and sisters three are educators. Older than Alejandro, Matutina became a medical doctor specializing in pediatrics, and Teresa, like Alejandro himself, an elementary school superintendent. And both the younger children, José and Jovita, became *maestros*. In a family so evidently devoted to teaching and the ideals of education it is not surprising that Alejandro, too, should follow the family calling and bring to it a deep spiritual dedication.

Besides his immediate family, his native village seems also to have helped to provide a favorable atmosphere for the development of the future teacher-dramatist. An anonymous report for the year 1932 states that Besullo is a "cabeza parroquial . . . una aldea de 200 habitantes, de vida exclusivamente agrícola . . . Tiene dos escuelas unitarias, en edificio ruinoso, y comienza en estos momentos la construcción de un grupo de nueva planta, con una subvención de 20,000 pesetas del Estado." With only two poor bridle paths connecting it with other communities, Besullo has declined from its former industrial prosperity based on its many forges and blacksmith works and is now a "pueblo de emigrantes, hallándose en tierras de América casi toda su mocedad masculina y femenina." But, "a pesar de su aislamiento y su pobreza, tiene Besullo un nivel cultural medio bastante elevado, y una educación social de hondo sentido liberal, ganada en la coexistencia de dos religiones: católica y protestante, que en él conviven hace más de medio siglo. Es curioso y debe anotarse que aquellos de sus habitantes que se han consagrado al estudio se han dedicado en su totalidad a la enseñanza, existiendo en este momento más de veinte maestros de Besullo en las escuelas nacionales, y otros en las Universidades de Norteamérica." The *misión pedagógica* that visited Besullo that year found itself "rodeada en todo momento de cariño, gratitud, respeto y apoyos morales y materiales de todas clases."

Alejandro Rodríguez Álvarez led a *misión pedagógica* to Besullo in August, 1932, and may well therefore have been the author of the above report on his native village since it sub-

in 1927. Early also were his first theatrical activities. Castellano says, "Juntos solíamos pasar algunas vacaciones de verano y en ocasiones representábamos comedias con el doble objeto de entretenernos nosotros y de ofrecer pasatiempo a incautas damiselas provincianas. A veces él mismo componía o arreglaba las comedias que se habían de representar, improvisaba versos y dirigía los ensayos." [6] His very first poems Casona had published back in Murcia, but they appeared only in local papers and magazines and have never been collected and issued in book form. In Murcia, too, he had attended for two years the *Conservatorio de Declamación,* "donde se reforzó," he declared,[7] "mi afición por el teatro."

The teacher and the dramatist in Casona received notable and perhaps unexpected development in the two years he spent in the Valle de Arán, whither the Primo de Rivera dictatorship sent him as elementary school superintendent in 1928. This assignment was almost an exile, as Casona told a Mexican journalist some years later.[8] For, in spite of the picturesqueness of the region in its fastness of the Pyrenees where the Garonne has its source, the valley is isolated and, during the hard winter months, literally snowbound and entirely cut off from the rest of Spain. Casona married Rosalía Martín, his schoolmate at the *Escuela Superior,* the same year he went to the Valle de Arán. There his daughter Marta was born and there he published his book of poems entitled *La flauta del sapo,* which was privately printed at the press set up for the schools of the region, and which revealed a "poeta campestre de gran lirismo." [9] Although the Valle de Arán offered no

[6] Castellano, *op. cit.,* p. 49.

[7] Private letter to the editor (March 24, 1946).

[8] Lolo de la Torriente, in *Excelsior,* Mexico, D.F., June 2, 1937. Cf. Castellano, *op. cit.,* pp. 49–50 and n.1.

[9] José María Souviron, *La nueva poesía española,* Ed. Nascimento, Santiago, Chile, 1932, p. 46; cf. also p. 53.

other "refugio espiritual que la lectura junto a la chimenea y la contemplación de las montañas de abetos," [10] Casona evidently "sacó fuerzas de flaqueza," as the Spanish proverb goes. With the children of the school, he founded as he told Lolo de la Torriente, "el teatro infantil 'El Pájaro Pinto,' realizado a base de repertorio primitivo, comedia de arte y escenificaciones de tradiciones en dialecto aranés. Tuvimos éxito. Se entretuvieron los más chicos y quedó prendida en la mente de los mayores una lección, una enseñanza, un aletazo a la imaginación." [11] But, besides this and more important, it was in the Valle de Arán in 1929 that he wrote his play, *La Sirena varada,* his first to be performed—five years later and with spectacular success—in an established theater by a professional company.

With the birth of the Republic in April, 1931, a larger sphere of professional activity, both in the theater and in pedagogy, unfolded for Casona. From 1930 to 1931, having left the Valle de Arán, he had served as elementary school superintendent "en tierras de León y en su nunca olvidada Asturias." [12] But in the first months of the Republic two things happened to Casona in rapid succession. First, he took examinations in open competition and won the superintendency for Madrid. Second, D. Manuel Bartolomé Cossío, the spiritual father of modern teaching and teachers in Spain, selected Casona to organize and direct the *Teatro del Pueblo,* a part of an educational project of incalculable importance known as *Las misiones pedagógicas.*

In spite of the success and renown that began to come to him in 1934 and continued until the civil war violently altered Spanish life after July, 1936, Casona's life was most intimately and most actively bound up for five years (1931–1936) with the new mission which so happily united the two dominant

[10] Casona, private letter to the editor (March 24, 1946).
[11] *Ibid.*
[12] Castellano, *op. cit.,* p. 50.

tendencies in his nature—the teacher and the dramatist. One
of the first acts of the Republic had been to establish the *Patronato de Misiones Pedagógicas* under the *Ministerio de Instrucción Pública y Bellas Artes,* and to name Cossío, the most
revered and best loved educator in Spain, a teacher of teachers,
as its president.[13] The work of the *misiones* furnishes one of
the most inspiring stories in the annals of education for disinterested, nobly idealistic, and progressive yet sustained activity. Briefly stated, the *misiones* sought to perform a work
of social justice by bridging the abyss between the cities and
the rural districts and by removing through communication
the isolation of the latter. Working with or through the *maestro* of each village, the *misiones* supplemented the schools but
differed from them by bringing freely to whole communities—
men and women and children of all ages—new and stimulating cultural experiences. The visit of a group of *misioneros*
would normally last a few (five to ten) days and would include the showing of motion picture films, the reading of
pieces of good literature (often national poetry), talks on such
subjects as personal hygiene and practical agronomy, the playing of fine recorded music, and the performance of short plays.
Sometimes a puppet theater and teacher-training courses were
included. The *misión* had to provide all its own equipment,
from electric generator to portable stage. And at its departure,
it left behind a small and well selected library, or a phono-
graph and records, and a desire in the village for a return visit.
The school taught how to read, the *misión* awakened the love
of reading. By opening the windows of the mind to new

[13] Cossío (1858–1935) had been one of the favorite pupils of Don Francisco Giner de los Ríos and succeeded him as *rector* of the *Institución
Libre de Enseñanza.* Besides being an honored teacher, he was a
distinguished art critic, especially for his unsuperseded two-volume
study of El Greco (1908). The Republic declared him *primer ciudadano de honor.*

vistas of many sorts, the *misiones* were bringing hundreds of villages to life, reincorporating them into the Spanish nation.

Casona organized and directed the activities, wrote and arranged plays for the *Teatro del Pueblo,* and personally led eight of the twenty missions conducted in 1932, the first full year of activity. Still today he considers his work with the missions "como lo mejor de mi vida activa." [14] Some fifty students formed the *Teatro del Pueblo,* mostly prospective teachers but with the other different professional schools represented. Their work was all voluntary and gratuitous and included over four hundred performances in villages of Castilla, La Mancha, Extremadura, León, Aragón, Asturias, and Galicia. For this group Casona wrote his three one-act plays: (1) *El entremés del mancebo que casó con mujer brava,* a dramatization with variations of the Taming-of-the-Shrew story found in Juan Manuel's fourteenth century *El Conde Lucanor;* [15] (2) *Sancho Panza en la ínsula Barataria,* an arrangement for the stage of the corresponding chapters of *Don Quijote;* and (3) the *Balada de Atta Troll,* adapted from a literary satire of the German poet Heine and later incorporated in *Nuestra Natacha.* Casona's modesty was appropriate enough in the impersonal reports on missions written for and published by the Patronato. But it went to the extreme, regrettable at least for the documentary record, of omitting his own name in connection with the above plays when he listed the *Teatro del Pueblo*'s repertory.[16] This included twelve titles: besides Casona's, short pieces of Juan del Encina, Lope de Rueda, Cervantes, Calderón, Ramón de la Cruz, the Quintero brothers, and Molière.[17]

---

[14] Private letter to the editor (March 24, 1946).

[15] *Ejemplo* XXXV; see also *Ejemplo* XXVII.

[16] Casona names only eleven: in *Una misión pedagógico-social en Sanabria,* Buenos Aires, 1941, pp. 82–83.

[17] Cf. *Patronato de misiones pedagógicas,* Madrid, 1935, pp. 104–5; see also Díez-Canedo, "Panorama," p. 48.

Similar to and paralleling Casona's *Teatro del Pueblo* was a *teatro universitario* popularly called *La Barraca* and directed by the beloved poet and dramatist of Granada, Federico García Lorca, who was assassinated by Falangist (Spanish Fascist) gangsters shortly after the civil war started in 1936. The *Barraca* differed from the *Teatro de las misiones,* however, in that it visited the cities in the provinces (later also military camps both in the rear and at the front) and for this reason cultivated the great Golden Age drama rather than the short popular farce, the fable, and the dramatized ballad of Casona's theater. Both groups did, however, put on short comic pieces (*entremeses*) of Cervantes, and Casona and García Lorca were often thrown together in cordial relationship. And these were the two men who very soon were to be recognized as the leaders of the renascent Spanish theater.[18]

The *Teatro del Pueblo* was one of Cossío's great hopes. Casona felt deeply honored by his trust and intimacy as well as by his constant interest in the work. During the last four years of his life, the revered master was unable to move from his wheel chair. But, "tanto era su cariño por esa obra," writes Casona,[19] "que, hallándose imposibilitado, inmóvil y sin fuerzas, la única salida que hizo en unos días de alivio fué para asistir a una representación pública de nuestro teatro en la aldea de Bustarrejo (recuerdo la fecha exacta: 15 de mayo de 1935).[20] La imagen venerable de Cossío, en su sillón de ruedas, en una plaza de aldea, rodeado de estudiantes y campesinos, en un día lluvioso, contemplando por primera y única vez su sueño hecho realidad, no se me borrará del alma mientras viva."

The remarkable success of *La Sirena varada,* first performed on March 17, 1934, at the Teatro Español in Madrid, opened

---

[18] Valbuena, *Historia de la literatura española,* II, 968.

[19] Private letter to the editor (March 24, 1946).

[20] He died three and a half months later, on September 2.

up for Casona a new world, the world of the professional theater. For several years he had had two plays in manuscript
which he often despaired of seeing performed. Promises and
vague plans for *La Sirena varada* had come to naught. But the
manuscript was entered among one hundred and sixteen con-
testants in the City of Madrid competition for the Lope de
Vega prize—and won.[21] The victory carried with it public
performance in the official theater, the *Español*, where the
leading contemporary actress Margarita Xirgu and her company were then playing.

La Sirena varada is a highly original fantasy in which
Casona deals with several facets of the problem of personal
happiness—whether it is socially and morally free of responsibility and whether it can be found in the escape of sustained
self-deception and in insanity, or must face life squarely and
rest on truth and reality. The truth behind the painter Daniel's
blindfold is the bitter fact of his blindness, which he was trying to conceal from all, including himself. But a hired ghost,
afraid of life, is made happy when he can return to gardening
and recover his name Don Joaquín. The wealthy, young, and
disillusioned Ricardo finds that "esta vida arbitraria que hemos
creado empieza a marearme," when his love for Sirena de-
mands that he know the truth and that she be cured of her
insanity. His doctor and friend Don Florín is effecting the
cure, which discloses the horrible truth of her base subjugation
to the brutal will of Pipo. Ricardo wants to save her from this
realization, to turn her away from the truth and back to the
more beautiful half-world of the *sirena*. But she herself for the
sake of her unborn child refuses, and Ricardo tenderly kisses

[21] Casona had previously won the *Premio Nacional de Literatura Española
de 1932* for his *Flor de leyendas,* a volume of *cuentos* popularizing
for adolescents the great themes of universal literature: the *Rama-
yana,* the *Song of Roland,* the *Poem of the Cid,* the *Song of the
Nibelungen,* etc.

her hands and calls her by her Christian name María as the final curtain falls.

This play, with its weird psychological types may recall Unamuno and Pirandello (especially in *Henry IV*). But essentially it is an affirmative attack on the dehumanization of life so characteristic of much of the literature and drama throughout the Western World between the two world wars, the product of a civilization in crisis.[22] It was widely recognized as a fresh and invigorating new note in the Spanish theater, all critics without exception finding something fine in this, the first work of an unknown author. Full of overtones and symbolical values, elements both intellectual and romantic, and composed with a sure and skillful technique, *La Sirena varada* reveals how close the modern theater may be to ancient allegory.

Not only did the critics give *La Sirena varada* a warm reception. The audience cheered Casona so enthusiastically the first night that he had to answer eighteen curtain calls. His associates in education honored him with the preparation of a pamphlet containing a study of the play and the opinions of outstanding men of the theater, among whom were Benavente, Marañón, Marquina, Rivas Cherif, and García Lorca. The play was taken "on the road" by the Margarita Xirgu-Enrique Borrás company, who played Barcelona and the other principal Spanish cities. It was later performed with success in several American countries, was published in book form both in Madrid and in Buenos Aires, and has thus far been translated into Italian, French, and Portuguese, and performed in six Italian cities, as well as in Paris and Río de Janeiro.

Otra vez el diablo, written in 1927, was revised by Casona and performed in the Teatro Español by the Xirgu-Borrás

---

[22] In America the period was characterized by those whom Archibald MacLeish called "the irresponsibles." (*The Nation,* May 18, 1940, CL, 618–23; also published as a pamphlet by Duell, New York, 1940.)

company on April 26, 1935, just a year after their success with
La Sirena varada. This second play, although not achieving the
popular success of the first, greatly enhanced Casona's reputa-
tion among critics and has been played widely throughout
the Americas in both professional and university theaters, published already in four different Spanish editions, with contracts
drawn in the first year for translations into Danish and Italian.

Otra vez el diablo is a wholly unrealistic fantasy of a time-
less morality: He, She, and the Devil. The *Infantina*, believed
to be bewitched by the *Diablo*, is cured and saved by her lover,
the *Estudiante*—captain of the bandits. The Devil, his identity
unknown, has become the girl's tutor and has aided in preparing her fall in amorous conquest to her lover. But the
latter at the crucial moment foregoes his opportunity, rejects
and slays his Mephistophelian helper. He kills him in the only
way evil can be killed, Casona tells us,—within himself. This
assassination, being inner and moral, gives rise to much sym-
bolism, lyricism, and originality of both thought and drama-
turgy. Many stimulating and provocative allusions and the
rejection or flaunting of many hoary traditions such as *donjuanismo* again reveal the teacher within the poetic dramatist.
As Antonio Espina summed up this play: "Teatro simbólico,
de fantasía, pero también docente, moral, y de valores inter-
nos." [23] Just a year before this play was written, Casona had
submitted to the *Escuela Superior del Magisterio* his thesis entitled *El Diablo en la Literatura y en el Arte*.

After collaboration with Alfonso Hernández-Catá in *El
misterio de María Celeste,* performed in July, 1935, but still
unpublished, Casona astounded the theatrical world of Spain
and elsewhere with the unparalleled success of *Nuestra Natacha,* written during the summer of 1935 in his mother's native village of Canales (León). From its first performance in

[23] In *El Sol,* Madrid, April 27, 1935; cf. *Índice literario,* June, 1935, p.
131.

Madrid at the Teatro Victoria on February 6, 1936, this play achieved an unequaled run of over 500 consecutive perform-ances—this in a country where the normal theater-going public is not large and runs are rare. No doubt the tensions of the day and even the military rebellion in July, while they made theatrical activities more difficult, enhanced the public's ap-preciation of the play. For *Nuestra Natacha* breathes the very spirit of young Spain—the sincerity of the generous, self-sacrificing zeal of its students, the humanly liberalizing régime with which their idolized leader Natacha seeks to reform the reform school, the courageous experiment of the community enterprise in which the group develops a profitable farm out of a run-down and abandoned property. The life and the serious, purposeful attitudes of the students, their theater, and even the *Balada de Atta Troll,* which they perform, de-rive directly from Casona's own experiences, especially with the *Teatro del Pueblo* of the *misiones pedagógicas.*

A play dealing with student life was nothing new. Linares Rivas had made a popular success of the equally popular novel of Pérez Lugín, *La casa de la Troya.* And just the season be-fore Casona's play, Luis Fernández de Sevilla and Rafael Sepúlveda had presented Madrid with their *"Estudiantina."* But these plays are little more than picturesque, costumbris-tically amusing, and perhaps a bit silly. The varied student types in *Nuestra Natacha* are presented humorously but also naturally. As Olmedilla pointed out, they are human beings and differ profoundly from their predecessors on the stage in their religious dedication to a life of social usefulness and service.[24]

The forces of habit and inertia, conservative and reactionary patronage, against which Natacha makes her unavailing strug-gle at the *Reformatorio de las Damas Azules* may recall such

[24] In *El Heraldo de Madrid,* Madrid, February 7, 1936; cf. *Índice lite-rario,* June, 1936, p. 138.

earlier works as, for example, Benavente's *Los malhechores del bien*. But Benavente's play was, like most of the work of the generation of '98, satiric, bitter, pessimistic, and negative. Natacha is obliged to abandon her position, and it may be assumed that the school will return to its old spiritless routine, spelling failure for her "reform." But this happens after the curtain falls. What Casona presents on the stage is a vigorous and inspiring affirmation of Natacha's ideas in action. Benavente and Casona created these plays from opposite standpoints, each writing with a focus, so to speak, on what the other implied but largely omitted. In *Nuestra Natacha* Marga's violation is charged to a class of Spanish society that never appears on the stage—the *señoritos*,—and these idle and irresponsible sons of wealth and position, these youths who had already flocked to Spain's Fascist party, the *Falange,* and were soon to raise their brutal malevolence with the rebellious army against the Republic, are bitterly criticized. But even here, Casona's attitude is mainly affirmative. The vicious attack on Marga is in the end the unintentional cause of her redemption through motherhood.

Some of the dramatic strength developed in the first two acts of *Nuestra Natacha* is lost in the third, probably because Casona presents a social-economic achievement near its moment of triumphant completion. There is no social or economic conflict on the stage, it is apparent largely in retrospect. To many it may not seem sufficient to justify Natacha's refusal to marry Lalo, whom she has come to love. But herein lies Casona's fundamental moral idea: duty and responsibility to the task set must not yield to personal pleasure and happiness.

For all its seriousness, *Nuestra Natacha* is pervaded by a gay humor: the enthusiasms of the students in the first act, of students and reform school youths in the third; the pathetic and intensely human delights of the *educandos* in the second. Casona does not contrive situations for their comic effect.

The humor rises out of the nature of the characters: Lalo's optimism, which keeps him in the university through intentional failures in examinations because he doesn't know what direction to give his life until Natacha shows him; Mario's scientific absorption in the love life of insects to the utter unawareness of his own; Juan's superabundance of animal energy, which must expend itself on whatever it finds confronting it; the warden Francisco's need of his imposing uniform. Only the Marquesa of the school board and the old-line teacher Srta. Crespo lack a natural and sympathetic humanity; but this is intentional for Casona wishes to show them as having abandoned their humanity in falling into a rigid, static, dehumanized pattern of thought and behavior. They contrast with Don Santiago, the University *rector* and foster uncle of Natacha, whose warm friendliness, so readily understandable to students in the United States, differs so markedly from the traditional aloof formality of officialdom.[25]

Nuestra Natacha is Casona's only *specifically* social drama and was the last one written and performed in Spain before the Franco rebellion succeeded in banning this and all his works from both press and stage. Shortly after the Madrid opening Casona had been honored at a banquet by a group of fellow-writers and artists. News of the play's success spread so fast that it was soon being performed simultaneously by almost all the theatrical companies in Spain and Spanish Morocco, even in the small towns. At Barcelona it was performed in two theaters at the same time, in Castilian in one, in Catalan in the other. The fame of the play soon crossed the ocean and performances were given in most of the theatrical centers in Spanish America. Nearly all the important actors

[25] Alfredo Bianchi seems to have completely misunderstood the student situation in Spain in 1936, as well as many other things in *Nuestra Natacha,* including its central moral idea (cf. *Nosotros,* 1936, I, 309-314).

and actresses on both sides of the Atlantic have played Lalo and Natacha, the most prominent being María Fernanda Ladrón de Guevara (Barcelona, 1936), Lola Membrives (Buenos Aires, 1936), Margarita Xirgu (Mexico City, Havana and Bogotá, 1936–37), Alejandro Flores (Santiago de Chile, 1936), Eugenia Zúffoli (Caracas, 1937), and Asunción Casals (Barcelona, 1936: in Catalan). At least fourteen professional companies have done *Nuestra Natacha* on the stage. Four editions in Spanish have already been published. A French translation had a hundred performances in Paris in 1944 and 1945 and then went on tour. The play was done in Czech in Prague in 1936 and in Portuguese in São Paulo, Brazil, in 1943. Three motion picture versions have been made—one each in Spain, in Brazil and in Argentina.

In February, 1937, the civil war drove Casona into exile from his country and his professional career in education. Aided by the Spanish government, he went to Paris where he was asked to direct the company of Josefina Díaz and Manuel Collado, who had done *Nuestra Natacha* in Madrid and to one or both of whom he had already dedicated three editions of the play and was later to dedicate another. At the head of this company, Casona set out for Mexico in March—on a long tour that took him to Mexico, Cuba, Puerto Rico, Venezuela, Colombia, Perú, Chile, and finally to Argentina, where he has been living—in Buenos Aires—since July, 1939. Besides his theatrical work, Casona gave numerous lectures on both literary and politico-social subjects: at the Palacio de Bellas Artes and the Universidad Popular in Mexico City; at the Teatro Nacional, the Teatro Comedia, and the Sociedad Hispano-Cubana de Cultura in Havana; at the University in San Juan (Puerto Rico); at the Ateneo Literario in Caracas; at the Teatro Municipal in Santiago de Chile; and at different places in Montevideo and in Buenos Aires, La Plata, and Rosario (Argentina).

During the theatrical tour Casona was able to write four new plays, which the Díaz-Collado company performed. The first, and the only one so far published, was *Prohibido suicidarse en primavera,* which he began on shipboard and finished after arrival in Mexico. It was so well received that Margarita Xirgu performed it in the same years (1937 and 1938) in Buenos Aires and Montevideo. The play is a humorous fantasy, as the title suggests, in which a variety of persons come to Suicide Home, where innumerable historic, attractive and aesthetic methods of suicide are available. The guests, however, instead of taking their lives, find them. Some who were lonely find love; Fernando and Chole, who had known only joy, find suffering; an *Amante imaginario* discovers the reality of the imaginative life; Juan learns the value of sacrifice. The broad underlying culture and the rare psychological types remind one of *La sirena varada* and *Otra vez el diablo;* the moral tone and human sympathy recall *Nuestra Natacha* even more strongly. Another of the four, *Romance de Dan y Elsa,* is still unpublished but may perhaps have been equally if not more successful. Written in San Juan de Puerto Rico, it was played on tour by the Díaz-Collado company, and then by the Argentine Company of Mecha Ortiz in 1939 and 1940 in Buenos Aires, Montevideo, and Santiago de Chile. It ran a hundred performances in Buenos Aires.

Settled in Buenos Aires since 1939, Casona has already come to occupy a unique place. Besides publishing a pamphlet on one of the *misiones pedagógicas,* contributing a lecture (along with those of Alberti, Baeza, Grau, Ossorio and others) to the Galdós centenary memorial, and preparing an unpublished study on *Nueva Poesía,* he has become a member of *Argentores (Sociedad General de Autores Argentinos),* written three more highly successful full-length plays, and collaborated in the making of a dozen motion pictures. When his work of these recent years is more completely known, it may be possible to say that Casona in exile has even surpassed his achievements in Spain. The films include versions of two of his plays, *El María Celeste* and *Nuestra Natacha,* and adaptations of *Romance de Dan y Elsa* and *La Dama del Alba* are being made. This last title is the only one of the plays written for the stage in Argentina that has been published.

As indicated above,[26] *La Dama del Alba* is a strong and warm evocation of Casona's native Asturias and is considered by many critics as the purest theater of all his dramatic writings. Margarita Xirgu again gave the first performance in Montevideo (January, 1945) and in Lima (November, 1945) as well as originally in Buenos Aires (November 3, 1944). The play was also seen in 1945 in Caracas and in Mexico City. In the latter it had a run of a hundred performances. It is to be hoped that publishers will soon bring out the already large number of Casona's manuscript works, including his other two recent plays. *Las tres perfectas casadas* ran two hundred performances in Buenos Aires, beginning in May, 1941, with the Lola Membrives company, which took the play also to Montevideo and Santiago de Chile; in Mexico it ran a hundred showings in 1945 with the Meliá-Cibrián company. Casona's latest work is *La barca sin pescador,* which the Díaz-Collado company started on a run of two hundred performances at the Teatro Liceo in Buenos Aires on July 24, 1945. María Teresa Montoya did the play in Mexico City in October of the same year. It is evident that the human drama of inner, moral values still characterizes Casona's work, when he writes [27] that *La barca sin pescador* is a "comedia fantástica, en que el diablo aparece nuevamente, simbolizando la conciencia del protagonista, angustiado por el remordimiento de un crimen que deseó pero que no cometió."

[26] See above, p. xiv.
[27] Private letter to the editor (March 24, 1946).

Throughout Casona's works runs a preocupation with spiritual crises, often created by social problems, and revealing keen psychological understanding, tender human sympathy, and profound moral concern. An uncommon sensitiveness to these things has combined with a lyrical tendency and with the irresistible attraction of other-worldly Death and the Devil to make most of his plays non-realistic fantasies. *Nuestra Natacha,* by way of exception, is rooted in the soil and heart of Spain, less impressive perhaps for imaginative flights and universal timelessness but more powerful in the intense fervor and the sense of actuality of its theme and characters. César Tiempo, the Argentine dramatist and journalist, has called Casona "hombre y poeta de su tiempo, de nuestro tiempo, de la España que sabrá desangrarse nuevamente para reconquistar su libertad." This same writer also describes Casona's appearance in terms that the intuitive and sensitive reader of *Nuestra Natacha* may perhaps already have imagined: "Enjuto, no del todo moreno, aunque con ese color acendrado de quien se ha expuesto largamente al sol, . . . La frente surcada denuncia las huellas del fuego peligroso que arde sin descanso en una de las inteligencias más poderosas de España. Bajo las cejas pronunciadas, los ojos obscuros y penetrantes . . . una corbata negra que se obstina en no sonreír y sobre la camisa como la imagen melancólica de un luto que nos recuerda . . . que . . . el dramaturgo ha sufrido un desgarramiento que . . . debe recordar." [28] But in spite of sadness unalleviated by success, Casona's characteristic optimism remains undiminished,[29] and in him burns a faith in mankind and in Spain born of deep and tender human love.

[28] In *El Radical,* Buenos Aires, June 23, 1945.
[29] Cf. Castellano, *op. cit.,* p. 53.

WORKS OF ALEJANDRO CASONA

Non-Dramatic Works

Besides a considerable number of stories, essays, and articles published in various newspapers and magazines in Buenos Aires, Montevideo, Havana, Mexico City and elsewhere, the following may be listed specifically:

El peregrino de la barba florida. Private edition, Caro Raggio, Madrid, 1926. Poems.

El diablo en la literatura y en el arte. Thesis at the *Escuela Superior del Magisterio.* Unpublished.

La flauta del sapo. Private edition, Valle de Arán, 1930; homage edition, Instituto de Cultura Ibero-Americana, México, 1937. Poems.

Flor de leyendas. Ed. Espasa-Calpe, Madrid, 1933; 2d ed., 1936. Tales.

Las mujeres de Lope de Vega. Study of the female characters in his life and in his dramatic works. Read in the *Aula Magna* of the University of Havana; published in part in the *Revista de Indias,* Bogotá, 1938.

El Amor: Historia.—El Amor: Geografía.—El Amor: Psicología y Ética. Series of lectures given (1938) at the *Teatro Comedia* in Havana, with illustrations from Shakespeare, Lope de Vega, Ibsen, etc. done on the stage by the Díaz-Collado Company. Unpublished.

Una misión pedagógico-social en Sanabria; teatro estudiantil. Publicaciones del Patronato Hispano-Argentino de Cultura, Buenos Aires, 1941.

Galdós y el romanticismo. Lecture in the Galdós centenary series. In *Cursos y conferencias, Revista del Colegio Libre de Estudios Superiores,* Buenos Aires, Año XII, Volumen XXIV, Núm. 139-40-41, Octubre, Noviembre y Diciembre, 1943, pp. 99-111.

Nueva poesía. Study on the themes and techniques of modern Spanish lyric poetry, from Rubén Darío to García Lorca. Read (1945) at the *Ateneo "Pi y Margall"* in Buenos Aires. Unpublished.

Dramatic Works

La sirena varada. Comedia en tres actos. Premio Lope de Vega of the *Ayuntamiento de Madrid.* First performed March 17, 1934, in the *Teatro Español* in Madrid by the Margarita Xirgu and Enrique Borrás Company; played in Barcelona and principal Spanish cities by the same company; in Buenos Aires, 1934, by the María Guerrero Company; in Mexico City, 1935, by the María Teresa Montoya Company; in Santiago de Chile, 1935, by the Alejandro Flores Company; in Havana and San Juan de Puerto Rico, 1938, by the Josefina Díaz de Artigas and Manuel Collado Company; in New York (in Spanish), 1938, by the Enrique de Rosas Company.

Editions: Rivadeneyra (La Farsa), Madrid, 1934; Losada, Buenos Aires, 1941 (with *Prohibido* and *Entremés*).

Translations: Italian, by Gilberto Beccari, performed (1934) in Florence by Annibale Ninchi and Wanda Buratti, and later (1935) in Genoa, Verona, Milan, Ferrara, and Rome; French, by Jean Camp, performed (1942) in Paris in the Le Belier theater; Portuguese, by Nair Lacerda, performed (1945) in Rio de Janeiro by the Dulcina- Odilón Company.

Otra vez el diablo. Cuento de miedo en tres jornadas y un amanecer. First performed April 26, 1935, in the *Teatro Español* in Madrid by the Xirgu Company; played (1936–38) in Mexico City, Havana, Bogotá, Santiago de Chile, Buenos Aires, and Montevideo by the same.

Editions: Rivadeneyra (La Farsa), Madrid, 1935; Teatro Selecto, Barcelona, 1936; Ediciones de la Universidad Nacional, México, 1937; Losada, Buenos Aires, 1943 (with *Nuestra Natacha*).

El misterio del María Celeste. In collaboration with Alfonso Hernández-Catá. *Comedia en tres actos.* First performed in July, 1935, in the *Teatro de la Zarzuela* in Madrid by the Rambal Company. Unpublished.

Entremés del mancebo que casó con mujer brava. One act. First performed by the *Teatro del pueblo* of the *Misiones pedagógicas;* played in Madrid (1935) by the *Teatro Escuela de Arte,* directed by Rivas Cherif; in many experimental and university theaters; in the *plaza* of Salamanca at the *homenaje* for Unamuno.

Edition: Losada, Buenos Aires, 1941 (with *Sirena* and *Prohibido*).

Sancho Panza en la isla Barataria. One act. First performed by the *Teatro del pueblo* of the *Misiones pedagógicas;* played in Mexico City (1937) in the *Palacio de Bellas Artes* by the *Universidad obrera.* Unpublished.

Nuestra Natacha. Comedia en tres actos. First performed February 6, 1936, in the Teatro Victoria in Madrid by the Josefina Díaz-Manuel Collado Company; played throughout Spain, Spanish Africa, and

Spanish America (1936–37) by many companies (See text above).

Editions: Poveda, Madrid, 1936; Teatro Selecto, Barcelona, 1936; Argentores, Buenos Aires, 1936; Losada, Buenos Aires, 1943 (with *Otra vez el diablo*).

Translations: Czech, by Bohumil Perlik, performed (1936) in Prague; Portuguese, by Miroel Silveira, performed (1943) by the University Theater in São Paulo, Brazil; French, by Jean Camp and Jean Cassou, performed (December, 1944) in Paris at La Bruyère Theater by the Paquette Claude Company.

Prohibido suicidarse en primavera. Comedia en tres actos. First performed June 12, 1937, in the Teatro Arbeu in Mexico City by the Díaz-Collado Company; played in Havana, San Juan de Puerto Rico, Caracas, and Bogotá by the same company; in Buenos Aires and Montevideo (1937 and 1938) by Margarita Xirgu.

Edition: Losada, Buenos Aires, 1941 (with *Sirena* and *Entremés*).

Translation: Portuguese, by Nair Lacerda, performed (1943) in Rio de Janeiro by the Biby Ferreyra Company.

El crimen de Lord Arturo. Three acts. Dramatization of *Lord Arthur Savile's Crime / A Study of Duty* by Oscar Wilde. First performed (1938) in Havana by the Díaz-Collado Company; played (1938) in San Juan de Puerto Rico by the same company; in Montevideo (1942) by the Esteban Serrador company. Unpublished.

Romance de Dan y Elsa. Romance en tres actos. First performed (1938) in the *Teatro Nacional* in Caracas by the Díaz-Collado Company; played in Bogotá and Mexico City by the same company; in Buenos Aires, Montevideo, and Santiago de Chile (1939 and 1940) by the Mecha Ortiz company. Unpublished.

Sinfonía inacabada. Three Acts. *Estampa de la vida romántica* (*Schúbert*). Written in Mexico, 1939. First performed (1940) in the *Teatro Solís* in Montevideo by the Díaz-Collado Company; played by the same company in Buenos Aires (1940) and Santiago de Chile (1941). Unpublished.

Translation: Portuguese, by Miroel Silveira, performed (1942) in the *Teatro Regina* in Rio de Janeiro by the Dulcina-Odilón Company.

María Curie. Biografía escénica, obra de circunstancias, done by request. In collaboration with Francisco Madrid. First performed (1940) in the *Teatro Smart* in Buenos Aires by Blanca Podestá. Unpublished.

Las tres perfectas casadas. Comedia en tres actos. Inspired by *The Old Bachelor* of Arthur Schnitzler. First performed (May, 1941) in the *Teatro Avenida* in Buenos Aires by the Lola Membrives Company; played (1941 and 1942) in Montevideo and Santiago de Chile by the same company; in Mexico City (1945) by the Meliá-Cibrián Company. Unpublished.

La Dama del Alba. Retablo en cuatro actos. Written for Margarita Xirgu and first performed by her November 3, 1944 in the *Teatro Avenida* in Buenos Aires; played by her in Montevideo (January, 1945) and in Lima (November, 1945); by Nélida Quiroga in Caracas (1945); by María Teresa Montoya in Mexico City (1945).

Edition: Losada, Buenos Aires, 1944.

Translation: Portuguese, by Valdemar de Oliveira, performed (1945) in the Art Theater in Pernambuco, Brazil.

La barca sin pescador. Comedia en tres actos. First performed July 24, 1945 in the *Teatro Liceo* in Buenos Aires by the Díaz-Collado Company; played (October, 1945) in Mexico City by María Teresa Montoya. Unpublished.

Motion Pictures

Shortly after his arrival in Buenos Aires Casona's collaboration in the nascent film industry of Argentina began. Some of his works are based on his own original stories, others are adaptations as indicated below. Up to May, 1946 he had made twelve pictures, as follows:

Veinte años y una noche. Estudios Filmadores Argentinos. 1940. Original.

En el viejo Buenos Aires. Estudios San Miguel. 1941. Original.

La maestrita de los obreros. Adaptation of the novel by De Amicis. Estudios Filmadores Argentinos. 1941.

Concierto de almas. Estudios Baires. 1942. Original.

Ceniza al viento. Estudios Baires. 1942. (Casona did one of the six episodes.)

Cuando florezca el naranjo. Estudios San Miguel. 1943. Original.

Casa de muñecos. Adaptation of the play by Ibsen. Estudios San Miguel. 1943.

Nuestra Natacha. Adaptation of Casona's own play. Estudios San

Miguel. 1943. (This work had appeared in two earlier film versions: in Spain, Estudios Cifesa, 1936; and in Brazil, in Portuguese, 1940.)

El María Celeste. Adaptation of Casona's own play. Estudios Sono-Film. 1944.

Le fruit mordu. In French, in collaboration with Jules Supervielle. Adaptation of J. Jacques Bernard's *Martine.* "Andes Film." Chile. 1945.

Margarita la tornera. Adaptation of the legend told in Alfonso el Sabio's *Cantiga* 94. Estudios San Miguel. 1946. (Max Reinhardt's stage version of the same legend, called *The Miracle,* was played throughout the United States in the middle 1920's.)

El abuelo. Adaptation of the novel and drama of Benito Pérez Galdós. Estudios San Miguel. 1946.

Productions of film versions of *Romance de Dan y Elsa* and *La Dama del Alba* are pending in Buenos Aires and Mexico City respectively. Casona is at work on *Juan Gabriel Borkman,* a film version of Ibsen's play for the new Argentina motion picture company *Productores y Artistas Argentinos.*

SELECTED WRITINGS ABOUT ALEJANDRO CASONA

A brief list of critical and informational items referring to Casona and his work:

Altolaguirre, Manuel. "Nuestro teatro." In *Hora de España,* September, 1937, No. IX, pp. 29–37.

Bianchi, A[lfredo] A. "El teatro de Alejandro Casona." In *Nosotros,* Buenos Aires, 1936, Vol. I, pp. 309–14.

Castellano, Juan R. "Alejandro Casona—Expatriado español." In *Hispania,* 1942, Vol. XXV, pp. 49–54.

Díez-Canedo, Enrique. "The Contemporary Spanish Theater." In Thomas H. Dickinson, *The Theater in a Changing Europe,* Holt, New York, [1937], pp. 285–320 (Chapter VI; translated into English by S[usan] P. Underhill); the same study later appeared in Spanish: "Panorama del teatro español desde 1914 hasta 1936." In *Hora de España,* April, 1938, No. XVI, pp. 13–52.

Eichelbaum, Samuel. "Teatro extranjero—*Nuestra Natacha.*" In *Nosotros,* 1936, Vol. I, pp. 104–107.

Fishtine, Edith. Review of *Nuestra Natacha*. In *Books Abroad,* Spring, 1937, Vol. XI, No. 2, pp. 185–6.

Galaor, Don. Review of *Prohibido suicidarse en primavera.* In *Bohemia,* Havana, November 21, 1937, pp. 33, 56.

G[il]—A[lbert], J[uan]. "La barraca." In *Hora de España.* October, 1937, No. X, pp. 76–77.

Índice literario, Madrid: 1934, Vol. III, No. IV (April) pp. 69–73 and 85–87 (includes excerpt from M. Fernández Almagro's review of *La sirena varada* in *El Sol*); 1935, Vol. IV, No. VI (June), pp. 129–131 (includes excerpt from Antonio Espina's review of *Otra vez el diablo* in *El Sol*); 1936, Vol. V, No. 41 (June), pp. 137–138 (includes excerpt from Juan G. Olmedilla's review of *Nuestra Natacha* in *El Heraldo de Madrid*).

Liscano, J. "Esbozo para una interpretación de Alejandro Casona." In *Revista de la Federación de Estudiantes de Venezuela,* Caracas, 1938, Vol. II, pp. 28–33.

Nieto Arteta, Luis E. "Universalidad y sexualismo en el teatro: Casona y García Lorca." In *Revista de las Indias,* Bogotá, December, 1941, Vol. XII, pp. 85–96.

Patronato de misiones pedagógicas. Madrid, 1934 (septiembre de 1931 / diciembre de 1933);—Madrid, 1935 (Memoria de la misión pedagógico-social en Sanabria (Zamora) / Resumen de trabajos realizados en el año 1934).

R[ío], A[ngel del]. Review of *La sirena varada, Prohibido suicidarse en primavera, Entremés del mancebo que casó con mujer brava.* In *Revista hispánica moderna,* 1941, Vol. VII, p. 259.

S[ánchez] B[arbudo, Antonio]. "El grupo 'Arte y propaganda' en el teatro de la Zarzuela de Madrid." In *Hora de España,* October, 1937, No. X, pp. 75–76.

Souviron, José María. *La nueva poesía española.* Editorial Nascimento, Santiago, Chile, 1932, pp. 46, 53.

Stuart, Streeter. Review of *Otra vez el diablo.* In *Books Abroad,* Spring, 1937, Vol. XI, No. 2, p. 233.

Tiempo, César. "Con Alejandro Casona." In *El Radical,* Buenos Aires, June 23, 1945.

Valbuena Prat, Angel. *Historia de la literatura española.* Barcelona, 1937, Vol. II, pp. 968–972.

ALEJANDRO CASONA

NUESTRA NATACHA

Comedia en tres actos
El segundo dividido en tres cuadros

A

PEPITA DÍAZ DE ARTIGAS

Y

MANOLO COLLADO

PERSONAJES

NATACHA .... Josefina Díaz de Artigas
MARGA .... Pastora Peña
FLORA .... Concha Campos
MARQUESA .... Julia Pachelo
FINA .... Luisa Jerez
SRTA. CRESPO .... Adela Carbone
ENCARNA .... Consuelo Sanz
MARÍA .... Enriqueta Broco
LALO .... Manuel Collado
MARIO .... Manuel Díaz González
D. SANTIAGO .... Ricardo Juste
CONSERJE (FRANCISCO) .... Luis Manrique
SANDOVAL .... José Pidal
RIVERA .... Alfonso N. Caudel
AGUILAR .... Roberto Banquells
SOMOLINOS .... Tomás Blanco
JUAN .... Luisito Peña

EDUCANDOS Y EDUCANDAS

Esta obra fué estrenada por la Compañía Josefina Díaz de Artigas y Manuel Collado, en el Teatro Victoria, de Madrid, el día 6 de febrero de 1936.

ACTO PRIMERO

I

*En una Residencia de estudiantes. Salita de tertulia. Sobria
decoración, de líneas rectas. Un retrato de Cajal; algún mapa
antiguo, fotografías de arte. En grato desorden, alternando con
los libros, raquetas de tenis y copas deportivas. Al fondo, puerta
sobre el jardín y ventanas horizontales, bajas, veladas con cortinas blancas.*

En escena, Aguilar y Somolinos. Luego Flora.

SOMOLINOS. (*Dictando. Aguilar copia en una pequeña máquina de viaje.*) "Por ello, esta Federación de Estudiantes, exclusivamente profesional, declara ser en todo ajena a los sucesos
desarrollados ayer en San Carlos y Ciudad Universitaria . . ."
(*Entra Flora.*)   5

FLORA. Perdón; un momento. ¿Sabéis si ha vuelto Mario?

AGUILAR. Todavía no. Estará, como siempre, a la caza de insectos.

FLORA. ¿Me haréis el favor de darle esto de mi parte cuando
llegue?   10

AGUILAR. ¿Insectos también?

FLORA. Un buen ejemplar para su colección. (*Le entrega una
cajita.*)

AGUILAR. Se le dará.

FLORA. Gracias. (*Sale.*)   15

SOMOLINOS. ¿Dónde íbamos?

AGUILAR. ". . . sucesos desarrollados ayer en San Carlos y
Ciudad Universitaria . . ."

SOMOLINOS. "Y eleva a ese rectorado su respetuosa y enérgica

protesta por las sanciones gubernativas que se anuncian con
este motivo, en contra de nuestras organizaciones, del fuero
universitario y de nuestras clases de cultura popular. Madrid,
etc., etc."

5 AGUILAR. Hecho.

SOMOLINOS. Yo mismo lo llevaré al señor Rector. Y si el rectorado no nos escucha, a la Prensa. (*Firma.*)

DICHOS Y RIVERA.

RIVERA. (*Entrando.*) ¿Qué, habéis terminado ya?

AGUILAR. Ya.

10 RIVERA. Protesta respetuosa y enérgica, ¿verdad? Como siempre.

AGUILAR. ¿Qué vamos a hacer? Nosotros no podemos cargar con más responsabilidades que las nuestras.

SOMOLINOS. Lo que debierais hacer todos es ser menos in-
15 cautos. Os estáis dejando arrastrar a una guerra civil estúpida y estéril. Los únicos que salen ganando con todo esto son los enemigos de la Universidad.

RIVERA. No lo dirás por mí.

SOMOLINOS. Por muchos de los nuestros. Lalo estaba ayer en
20 la revuelta de San Carlos. Han dado su nombre en la Dirección de Seguridad.

AGUILAR. ¡Cómo iba a faltar ése!

RIVERA. Me han dicho que le han abierto la cabeza con una porra.

25 SOMOLINOS. No será tanto. Lalo tiene una sangre demasiado escandalosa. Yo sentiré que la cosa sea grave, pero no le está mal. Cuando aspiramos a que nuestra voz se escuche en la reforma universitaria, cuando acabamos de poner en marcha una Federación seriamente preocupada por los problemas esco-
30 lares y estamos organizando nuestras clases para obreros, no se puede comprometer todo eso con algaradas estúpidas. Lo de ayer no tenía pies ni cabeza.

AGUILAR. Atención; aquí llega nuestro herido.

LOS MISMOS Y LALO.

Lalo trae una larga venda arrollada a la frente.

RIVERA. Querido Lalo . . .

AGUILAR. Pero, ¿qué ha sido eso, hombre de Dios?

LALO. Reincidencia. Es la tercera vez que me abren la cabeza en San Carlos. No sé qué empeño tienen esos bárbaros en averiguar lo que llevo dentro. ¿No tenéis por aquí un botiquín? 5

RIVERA. En seguida.

LALO. ¿Gasa . . . Yodo . . . ?

RIVERA. También.

LALO. ¿Tijeras? . . . ¿Pinzas? . . . 10

RIVERA. De todo; este tranquilo.

LALO. Con cuidado, eh.

RIVERA. Tú siéntate y calla. (*Prepara sobre una mesita sus cosas para hacer una cura.*)

SOMOLINOS. Pero, ¿quieres decirme qué diablos ibas tú a 15 buscar allá?

LALO. Psé, afición. Llamaron a la Residencia por teléfono: avisen a Lalo que hay ensalada en la Facultad. Me imaginé la escena: hurras, desbandadas, los tranvías de Atocha volcados, los guardias . . . ¿Qué iba yo a hacer? Era una tentación. 20

AGUILAR. ¿Pero sabías de qué se trataba?

LALO. No hacía falta. Yo acudo siempre a estas cosas desinteresadamente.

SOMOLINOS. ¿Pensaste siquiera de parte de quién ibas a ponerte? 25

LALO. Tampoco: mi deber era ponerme donde hubiera menos.

SOMOLINOS. Ya. Romanticismo puro.

LALO. Llegué en un taxi. Me acerqué a uno para preguntarle. Tenía un aspecto entre estudiante y obrero; estaba mirando 30 desde lejos, en silencio y con un gran aire filosófico, como si la cosa no fuera con él. Le dije: camarada. Entonces se volvió, sacó la porra y zas. Un admirable ejemplo de laconismo. Cuando desperté estaba dentro de la Facultad, en brazos de esa muchachita rubia de Preparatorio, que me miraba llena de lágrimas. ¡Oh, es el gran momento de los heridos!

II

RIVERA. (*Que al fin ha acabado de quitarle la venda.*) A ver; quieto. (*Le limpia con alcohol.*) Pero, oye tú, ¿para esto te has puesto una venda de seis metros?

AGUILAR. ¿Qué es?

RIVERA. Si no tiene nada.

LALO. ¿No?

RIVERA. Nada; un rasguño.

LALO. ¡Demonio! . . . Oye ¿y no se podría abrir un poco más?

RIVERA. Vamos, hombre . . .

LALO. Entonces, la venda . . .

RIVERA. Al cesto. (*Recoge sus cosas.*)

LALO. ¡Qué lástima! La rubita había dicho "pobre Lalo" con una ternura tan maternal . . . Se va a llevar una desilusión.

SOMOLINOS. Muy gracioso. Tú te diviertes, y yo tengo que responder en nombre de la Federación . . . que oírnos acusar una vez más de agitadores y revoltosos sin sentido. Bien está. (*Recoge sus documentos.*) Por mi parte, no volveré a hacerte caso hasta que no te abran la cabeza . . . pero de verdad. Buenas tardes. (*Sale.*)

LALO. Adiós . . . santa Isabel de Hungría. Es intratable este hombre. Se toma todas las cosas con una gravedad . . .

AGUILAR. No me negarás que esta vez tiene razón.

LALO. ¿Pero qué razón? ¿Qué culpa tengo yo de no haber recibido un estacazo más eficaz? Además, que lo de ayer tarde no ha tenido ninguna importancia. Lo grave fué por la mañana.

RIVERA. ¿Qué ocurrió por la mañana?

LALO. Los exámenes. Se calcula un setenta por ciento de bajas. La mía entre ellas.

AGUILAR. Muy bonito.

LALO. Ah, ¿pero tú también? No, amigos, no. Os estáis poniendo todos en un plan de seriedad irritante. Aquí no puede haber una falta a clase, ni una juerga, ni un suspenso. Mucha disciplina, mucho laboratorio; y de haber algún herido, que sea grave. ¿Pero qué casta de estudiantes sois vosotros?

RIVERA. Quizá Somolinos exagera un poco. Pero, también tú . . .

LALO. Yo lo que quiero es beberme hasta el último trago mi juventud. Estudiar no basta; hay que vivir. ¿Y qué vivís vosotros? Libros, conferencias, traducir revistas profesionales. Hala, de prisa, a terminar la carrera. Sólo veis el mundo por esa ventana. Pero la vida es más ancha; si le volvéis la espalda ahora ¡pobre juventud la vuestra!

AGUILAR. Pobre, ¿por qué? Lo que pasa es que a ti y a nosotros no nos divierten las mismas cosas.

LALO. Sí, ya; también tenéis vuestras piscinas de invierno, vuestro tenis. Y los domingos, al campo, a hacer salud.

RIVERA. Y las compañeras.

LALO. Unas compañeras con las que no hacéis más que estudiar asignaturas, y algún beso suelto. Poca cosa. Cuando os encontréis de lleno en la vida, veréis para qué os ha servido tanto libro.

AGUILAR. Por lo menos para desempeñar a conciencia una profesión útil.

LALO. ¿Útil? Vamos a ver. Tú eres agrónomo; habrás estudiado a fondo todas las leyes mendelianas de la herencia en el guisante, ¿verdad? Muy bien. Pero . . . ¿Tú sabes en qué época del año se siembran los guisantes?

AGUILAR. ¿Los guisantes? . . . Los guisantes . . .

LALO. ¿Lo ves? Pues has perdido el tiempo. Y tú, cuando seas ingeniero y andes por esos montes haciendo el replanteo de carreteras, ¿sabes encender el fuego delante de tu tienda y
5 hacerte unas sopas de ajo?

RIVERA. Bueno, Lalo, pero eso es una broma.

LALO. ¡Qué ha de ser broma! Yo tengo treinta años. Hace catorce que empecé a estudiar Medicina; tres generaciones han pasado sobre mi cadáver, y yo aquí, firme en mi puesto. Si la
10 suerte me ayuda un poco, no terminaré en otros catorce. ¿Y qué? ¿Creéis que he perdido el tiempo?

RIVERA. No has terminado porque no quieres. Tú eres rico. Te gusta esta vida y puedes pagarte el lujo de estudiar eternamente.

15 LALO. Eso, por un lado, no lo niego. Las carreras no son para aprobarlas; son para disfrutarlas. Pero es que además he aprendido todo un repertorio de cosas útiles por mi cuenta. El primer año me suspendieron en Disección, pero aprendí carpintería; el segundo me colgaron en Fisiología general, pero
20 aprendí a cultivar el maíz; el tercero caí en Patología y Terapéutica, pero aprendí la cría del conejo y a fabricar cestos de mimbre. Y si hoy naufragara en una isla desierta, yo os juro que sabría vivir solo y a mis anchas, mejor que el primer Robinsón.

25 AGUILAR. Muy pintoresco. Lo malo es que no hay islas desiertas.

LALO. ¿No? Yo tengo una.

RIVERA. ¿Una isla?

LALO. Algo parecido. Es una alquería deshabitada desde mis
30 abuelos. Tiene de todo: agua, monte, buena tierra, una casa de labor en ruinas y un molino. Todo abandonado desde hace cuarenta años. Pues bien: yo, Lalo Figueras, estudiantón inútil de la vieja escuela, a vosotros, supercivilizados de hoy, os hago un desafío.

RIVERA. ¡Venga!

LALO. Os regalo esa finca. ¿A que no sois capaces entre todos—peritos agrícolas, ingenieros, arquitectos—, a que no sois capaces de poner todo aquello en valor, de levantar allí una granja modelo, una fábrica?

AGUILAR. ¿Nosotros solos?

LALO. Solos.

AGUILAR. No, gracias. Demasiadas cabezas y pocas manos.

LALO. Ah, tú lo has dicho: demasiadas cabezas.

III

Entra Mario. Es un joven naturalista ingenuo y abstraído, de ceño hecho a la contemplación minuciosa y manos de gesto delicadísimo. Sonrisa infantil, grandes gafas, sandalias y manga de cazar mariposas.

RIVERA. Ilustre Mario, hijo predilecto de Linneo: salud.

MARIO. Salud, amigos.

RIVERA. ¿Qué tal? ¿Ha sido provechosa hoy la caza?

MARIO. Oh, nada; mariposas vulgares, un grillotalpa . . . lo de siempre. No tengo suerte.

AGUILAR. A ver si te espera aquí la sorpresa del día. (*Le entrega la cajita.*)

MARIO. ¿Qué es esto?

AGUILAR. Al parecer, un hermoso ejemplar para tu colección. De parte de Flora.

MARIO. ¡Flora! Gran muchacha. Es la primera mujer guapa que veo interesarse por las Ciencias Naturales. Perdón, voy a dejar todo esto en mi cuarto. En seguida vuelvo. Perdón. (*Sale.*)

LALO. (*Le mira ir moviendo reflexivamente la cabeza.*) Pues mira al vegetariano este: veinticinco años, y es ya todo un sabio. ¡Qué vergüenza! Porque Mario es un sabio de verdad, eh: se

deja los grifos abiertos, se va andando al Pardo a cazar grillos
. . . El otro día, creyendo que era un diccionario lo que tenía
en la mano, se pasó media hora buscando una palabra alemana
en una tabla de logaritmos.

5   AGUILAR. Tú tómalo a broma, pero Mario irá muy lejos. Es
un naturalista de primer orden.

LALO. Si eso no lo dudo.

AGUILAR. Y en cuanto a sus animalejos, ¡si vieras qué maravillas en esas vidas tan pequeñas! Ahora está escribiendo una
10 Memoria interesantísima sobre: "Las costumbres nupciales de
los insectos."

LALO. ¿Lo veis? A eso voy yo. Las costumbres nupciales de
los insectos. Pero si ese chico no ha tenido una novia en su
vida. Él será muy capaz de sorprender con su lupa el amor de
15 una libélula. En cambio, todavía no se ha dado cuenta de que
Flora está loca por él.

RIVERA. ¿Flora? . . .

LALO. Ah, ¿vosotros tampoco? ¿De dónde le viene a Flora,
estudiante de Filosofía y Letras, esa ternura por los salta
20 montes? ¿Qué significa ese traerle de todas las excursiones
algún bicho para su colección?

RIVERA. Pues, ¿sabes que es verdad?

LALO. Naturalmente. Lo está sobornando con escarabajos.
(*Vuelve Mario emocionado, mostrando en alto su tesoro.*)

25 MARIO. ¡Quietos! ¡Aquí está! Miradlo todos. ¡Miradlo!

LALO. (*Sobresaltado.*) ¿Qué pasa?

MARIO. ¡Maravilloso!

LALO. ¿Pero qué es?

MARIO. (*Solemne.*) ¡Un "cérceris tuberculata"!

30 LALO. Acabáramos. (*Acercándose más tranquilo.*) ¿Conque
este bicho es un "cérceris tuberculata"? Nadie lo diría, eh; tan
pequeño . . .

MARIO. Un ejemplar maravilloso . . . Es el más terrible cazador del mundo animal. Tiene en el aguijón un veneno miste-

rioso que deja a sus víctimas vivas, pero inmóviles, como hip-
notizadas. Y así las va almacenando en su cueva, para que sus
hijos tengan toda la temporada carne indefensa y fresca.

LALO. Buen padre de familia.

MARIO. Madre: es un cérceris hembra. Los machos son la ₅
mitad más pequeños y menos interesantes. No cazan ni construyen; se limitan a fecundar a las hembras y no toman parte
en ningún otro trabajo.

LALO. ¿Ves tú? Eso no está bien. Las cosas, como son.

MARIO. Es una reina de leyenda. Mirad qué maravillosa ar- ₁₀
madura: la coraza anillada de verde acero; los guanteletes de
los artejos; los élitros, de cobre y oro; los ojos como dos poliedros de cristal . . .

LALO. (*Interesado.*) A ver, a ver. (*Toma el insecto y lo mira
en todas direcciones. Lo devuelve defraudado.*) Hijo mío, será ₁₅
todo lo reina de leyenda que tú quieras; pero yo no veo ahí
más que un coleóptero indecente.

MARIO. ¡Un coleóptero! ¿Has dicho un coleóptero? Por Dios,
Lalo; el cérceris es un himenóptero.

LALO. Ah, es un himenóptero. Pues da lo mismo: es un ₂₀
himenóptero indecente.

MARIO. (*Compasivo.*) Pobres, no sabéis ver. Os pasmáis
como papanatas delante de los elefantes y las catedrales. En
cambio, estas cosas minúsculas . . . No sabéis ver, no sabéis
ver . . . (*Sale lentamente denegando con el dedo.*) ₂₅

LALO, RIVERA, AGUILAR y FLORA, *que entra con un
periódico ilustrado.*

FLORA. ¿Habéis visto los periódicos de hoy?

LALO. ¿Traen lo de San Carlos?

FLORA. Lo que traen es un magnífico retrato de Natacha, con
motivo de su doctorado.

RIVERA. A ver. (*Abre el periódico. Los demás a su alrededor.* ₃₀
Lee.) "Natalia Valdés, alumna becaria de la Universidad Cen-

tral y primera mujer que alcanza en España el doctorado en Ciencias Educativas."

AGUILAR. ¡Bravo, Natacha! ¡Y qué guapa está!

RIVERA. Esto hay que celebrarlo.

5   AGUILAR. Y que va a ser esta misma tarde. Lalo pagará el champán, ¿verdad?

RIVERA. ¿Y las flores?

LALO. También; todo lo que queráis. (*Aparte a Flora.*) Mario está en su laboratorio.

10   FLORA. ¿Sí?

LALO. Y emocionadísimo con su regalo. Creo que es un caso de "tuberculata" que hace llorar; una reina de leyenda, con guanteletes y poliedros y el demonio. Vaya, vaya usted allá. (*Le hace un gesto de inteligencia. Flora sonríe y le estrecha* 15 *la mano.*)

FLORA. Gracias. (*Sale.*)

IV

AGUILAR. ¿Has visto? Un verdadero triunfo para nuestro Club.

LALO. Un triunfo, sí. Pero otra compañera que termina, que 20 se nos va. ¿Habéis pensado en eso?

AGUILAR. La mejor compañera.

RIVERA. El alma del grupo.

LALO. Vuestra Natacha . . . de la cual estáis todos vagamente enamorados. ¿Verdad? (*Rivera baja la cabeza.*) ¿Ver-25 dad? (*Baja la cabeza Aguilar.*)

RIVERA. ¿Y tú, no?

LALO. (*Con el mismo gesto.*) Yo también.

RIVERA. Ah, eso no lo habías confesado nunca.

LALO. Esperaba que alguno de vosotros se decidiera. Pero en 30 vista de que ninguno se lanza, y antes de que se nos vaya, yo cumpliré mi deber.

RIVERA. ¿Qué quieres decir? ¿Es que piensas hablarle?

LALO. Esta misma tarde.

AGUILAR. Pues no te auguro el menor éxito. Natacha es demasiado seria, entregada a su trabajo. No creo que le divierta pensar en otra cosa.

LALO. No importa. En amor, como en todo, ¡es tan hermoso fracasar!

AGUILAR. Ah, siendo así . . .

LALO. El fracaso templa el ánimo; es un magnífico manantial de optimismo. Todo hombre inteligente debiera procurarse por lo menos un fracaso al mes.

RIVERA. Pues no creo que sea nada difícil.

LALO. Para los tontos, no; pero esos no cuentan. Tan bello como es el papel de víctima, cuando se sabe llevar. El herido, el desterrado, el amante sin esperanza . . . ¿Que emprendes un viaje a Palestina? Conseguir que el barco naufrague en las Baleares. ¿Que le pides relaciones a una compañera? Conseguir que te diga que no . . . ¡Y dices tú que no es difícil!

RIVERA. Eres admirable, Lalo; porque ahora estoy seguro de que hablas con toda tu alma.

LALO. Ahí está mi hoja de estudios para demostrarlo . . . ¿Tú viste ayer mi examen de Medicina legal?

RIVERA. Sí, no lo recuerdes. Fué espantoso.

LALO. ¿Verdad? Pero, ¿qué iba yo a hacer? Era mi última asignatura; había que cuidarla. El profesor me miró al empezar ¡con unas ganas de aprobarme! Pero yo me defendí como un león. El hombre sudaba, se ponía pálido. Qué mal rato pasó el pobre. En fin, ya está: un año más de estudiante, y ya veremos luego. Ah, los que no sentís esta emoción del fracaso, no comprenderéis nunca la esencia del romanticismo.

DICHOS, NATACHA Y DON SANTIAGO.

Natacha viste con una gran sencillez, llena de elegancia. Tiene, hasta cuando ríe, una tristeza lejana y preocupada.

RIVERA. ¡Natacha!

AGUILAR. Querida doctora . . . ¡Don Santiago! . . .

LALO. Enhorabuena, señor Rector.

DON SANTIAGO. Gracias. A ella, a ella . . .

5 RIVERA. ¿Cómo no nos habías dicho nada?

NATACHA. Me parecía una cosa tan natural. ¿Y vosotros?

RIVERA. Todavía no se sabe. Somolinos traerá las notas.

NATACHA. ¿Buen ánimo?

RIVERA. No falta.

10 NATACHA. ¿Usted, Lalo?

LALO. ¿Yo? Bien también; grandes esperanzas.

NATACHA. Es el nuevo compañero, tío Santiago. Le conocimos en la Universidad de Verano de Santander; y se ha unido a nuestro grupo para organizar el Teatro ambulante. Lalo
15 Figueras.

DON SANTIAGO. Lalo Figueras . . . ¿Usted es el herido de ayer?

LALO. Ya no.

DON SANTIAGO. Vaya, menos mal. Pero, cuidado con esa
20 sangre, muchacho.

LALO. Le juro a usted que yo estaba en el público.

DICHOS, FLORA Y MARIO.

MARIO. ¡Señor Rector! (*Se saludan cordialmente. Flora abraza a Natacha.*) Con toda el alma, Natacha.

NATACHA. Gracias, Mario.

25 DON SANTIAGO. Otra que termina. Ya son ustedes dos.

MARIO. Oh, no; yo estoy empezando siempre.

DON SANTIAGO. ¿Qué tal va esa tesis nupcial?

MARIO. Despacio; faltan materiales.

RIVERA. Mario descansará ahora una temporada. Dejará en
30 paz a sus insectos y formará parte de nuestro Teatro.

DON SANTIAGO. Teatro trashumante; de pueblo en pueblo . . .

LALO. Y para las cárceles, para los asilos. Llevaremos romances y canciones, farsas poéticas, teatro de Lope y Calderón.

DON SANTIAGO. Y sobre todo, vuestra alegría, que será lo mejor del repertorio.

AGUILAR. Este verano mismo haremos la primera salida. 5

LALO. Iremos al Reformatorio de las Damas Azules.

NATACHA. (*Sobrecogida.*) ¿Al Reformatorio de las Damas Azules? ¡No!

LALO. (*Sorprendido de la extraña reacción.*) ¿Por qué no?

FLORA. ¿Te ocurre algo? 10

NATACHA. (*Rehaciéndose.*) No, nada . . . No sé qué estaba pensando.

DON SANTIAGO. Un poco de nervios. Anoche no ha dormido.

FLORA. ¿Tú impresionada, Natacha? Vamos, vamos . . .

RIVERA. A ver, sonríete un poquito . . . Así, gracias. 15

AGUILAR. ¿Nos aceptarás un pequeño homenaje?

RIVERA. Aquí mismo. Verás qué pronto se te pasa eso.

LALO. Unas flores, un poco de espuma . . .

AGUILAR. En seguida volvemos. (*Sale delante con Rivera.*)

LALO. Todos; tú también, molusco. Y usted, Flora. (*Salen* 20 *Mario y Flora. Lalo detrás.*) La Flora y la fauna . . .

V

NATACHA Y DON SANTIAGO

Ella se sienta pensativa. Don Santiago acude a su lado cuando han salido todos.

DON SANTIAGO. ¡Natacha!

NATACHA. Nada, tío Santiago. Ha sido un mal recuerdo.

DON SANTIAGO. Ese muchacho no podía sospechar siquiera . . . 25

NATACHA. Después de todo, ¿por qué callar siempre? ¿Por qué ocultarlo como una vergüenza?

Don Santiago. No lo hago yo por eso. Pero sé que te duele recordarlo.

Natacha. ¡El Reformatorio de las Damas Azules! Mis últimos años de niña . . .

5   Don Santiago. Ea, no pienses en ello.

Natacha. No se me borraban de la imaginación mientras escribía la tesis de mi doctorado. Era aquello lo que pintaba, lo que combatía con toda mi alma.

Don Santiago. Todos los Reformatorios son tristes.

10   Natacha. ¿Y por qué? Convierten en cárceles lo que debieran ser hogares de educación. Y allí van a enterrarse, en una disciplina de rejas y de silencio, los rebeldes, los pequeños delincuentes. Los que más necesitan, para redimirse, un amor y una casa.

15   Don Santiago. Un mal sueño. Olvídalo.

Natacha. No puedo. He podido acostumbrarme a no hablar de ello. Pero olvidarlo . . . Es un resquemor de injusticia que queda para siempre. ¿Qué delito había cometido yo para que me encerraran allí? El estar sola en el mundo, el ser una 20 "peligrosa rebelde," como decían, y el haberme escapado de casa de unos tutores desaprensivos, que no veían en mí más que un estorbo.

Don Santiago. No les guardes rencor. Ellos tenían de la educación una idea equivocada, pero seguramente sincera.

25   Natacha. Decían que allí me meterían en cintura. Y para esa hazaña de meter en cintura a un niño, mezclaban mis catorce años locos de ilusiones con pequeñas ladronas, con desequilibradas y morbosas sexuales. Y así tres años inacabables: rigidez, silencio, castigos de aislamiento absoluto por las faltas 30 más pueriles . . . Hasta el día en que se le ocurrió a usted visitar aquella casa. (Cogiéndole las manos.) Cuánto le debo, Don Santiago.

Don Santiago. Yo a ti, Natacha. Vivía demasiado solo. Darte

una vida nueva, hacer de aquella jovenzuela alocada toda una mujer, fué para mí la emoción de padre que no había sentido hasta entonces.

NATACHA. Nunca se lo pagaré bastante.

DON SANTIAGO. ¿Pagar? Ni siquiera en lo material me debes nada; has sido mi ayudante, mi traductora, hasta mi enfermera. Seguramente en nuestra vida hay un buen saldo a tu favor. Lo que sí quiero pedirte es que, ahora que ya puedes volar libremente . . . no vueles muy lejos de mí. Y sobre todo, no me niegues nunca ese título familiar, que me recuerda tantas horas tuyas . . .

NATACHA. (*Abrazándole.*) ¡Tío Santiago! . . .

DON SANTIAGO. Así: tío Santiago . . . (*Transición.*) Vienen . . . tienes lágrimas, Natacha. Que no te vean así. (*Sale Natacha al jardín. Entran Mario y Lalo, con flores y champán.*)

DON SANTIAGO, LALO Y MARIO.

DON SANTIAGO. ¿Ya de regreso?

MARIO. ¿Salía usted?

DON SANTIAGO. Un momento, a Secretaría. Cuando estén los demás volveré por aquí. Tengo una buena noticia para todos.

LALO. ¿Del viaje de estudios?

DON SANTIAGO. Acaso . . . No desvelemos todavía el secreto. Hasta luego. (*Sale.*)

LALO. (*Mientras van dejando sus cosas.*) Gran hombre Don Santiago.

MARIO. Un compañero más. Si no fuera por los años, nunca se hubiera sabido en nuestras excursiones quién era el Rector y quiénes los alumnos.

LALO. Ah, un buen profesor debe parecerse lo más posible a un mal estudiante. ¿Has visto? La idea de nuestro Teatro parece que le ha gustado.

MARIO. ¡También a mí! Es muy interesante.

LALO. Tú podrías ayudarme en eso. Estoy componiendo, para la presentación, una farsa animalista.

MARIO. ¿Una fábula? No me gusta; las fábulas de animales 5 nunca se ajustan a la verdad. Desde el punto de vista científico, todo Lafontaine es un disparate.

LALO. Pero es que el punto de vista científico es muy aburrido, Mario. Verás: lo mío es una escenificación de una balada de Heine. Ocurre en Roncesvalles, y hay un oso que 10 canta una canción triste.

MARIO. Pero, Lalo, ¿un plantígrado cantando?

LALO. Sí, señor, un plantígrado. Y si no fuera porque la cosa ocurre en Roncesvalles ponía un cocodrilo. ¿Qué pasa?

MARIO. No, no, nada . . . ¿Y qué es lo que puedo hacer yo?

15 LALO. Pues eso, que me falta la canción. Tú, que eres un hombre triste, ¿no conoces alguna?

MARIO. Huy, canciones . . .

LALO. Alguna cosa sentimental, de pandero . . .

MARIO. No sé . . . yo cantaba, de pequeño, algunos trozos 20 de *Parsifal*.

LALO. No, por Dios. Algo popular.

MARIO. Popular, popular . . . Espera, también tengo una. Me le enseñaron en la Sierra los de Filosofía y Letras. Pero es muy triste.

25 LALO. Mejor.

MARIO. Además, creo que no canto nada bien.

LALO. No importa; adelante.

MARIO. Es una cosa de amores contrariados . . .

LALO. Venga.

30 MARIO. Dice así: (*Canta con una profunda seriedad desvencijada*):

Amaba yo
a una niña de quince años,
bella flor,

> pero la infiel
> se burlaba ¡pumba!
> de mi amor
> ¡zas!

¿Te gusta?

LALO. (*Aterrado.*) ¡Mario!

MARIO. Muy triste, ¿verdad? Y sigue:

> Yo cuando vi
> que su amor era mentira
> y falsedad
> la desprecié
> y no la he vuelto ¡pumba!
> a mirar más
> ¡zas!

LALO. ¡Mario de mi alma!

MARIO. A dos voces suena mejor.

LALO. (*Abrazándole.*) ¡Pero eso es magnífico!

MARIO. ¿Verdad?

LALO. Un verdadero hallazgo. ¡Es la cosa más estúpida que he oído en mi vida!

MARIO. ¿Estúpida? (*Lalo ríe con toda su alma.*) Bien está. (*Inicia el mutis. Se detiene.*) Ya sé yo que no canto bien; por eso no me ofendo. Ya ves: tú te ríes, y yo te perdono . . . Pero como pongas un cocodrilo, no trabajo. (*Sale.*)

LALO. (*Ríe de nuevo y trata de retener la canción*):

> Amaba yo
> a una niña de quince años,
> bella flor . . .

VI

Pasa Natacha, que va a salir en la dirección de Mario. Lalo corta su canción.

NATACHA Y LALO.

LALO. ¿Tiene usted algo que hacer ahora, Natacha?

NATACHA. No muy importante.

LALO. ¿Está usted sola?

NATACHA. Sola con usted. ¿Por qué?

5 LALO. Si no le estorbo mucho . . . tengo algo que decirle.

NATACHA. Diga.

LALO. (*Vacila.*) ¿Quiere usted sentarse?

NATACHA. ¿Es muy necesario?

LALO. Por lo menos puede ser útil.

10 NATACHA. Siendo así . . . (*Se sienta.*) Usted dirá.

LALO. (*Vacila nuevamente.*) Hace una temperatura deliciosa, ¿verdad?

NATACHA. (*Seria.*) Veintidós grados a la sombra.

LALO. ¿Veintidós? ¡Hola! (*Pausa.*)

15 NATACHA. ¿Eso era todo?

LALO. Espere, no se levante . . . ¡Natacha! . . .

NATACHA. ¿Le ocurre algo, Lalo?

LALO. Es que . . . ¡No sé qué rodeo buscar para decirle a usted que la quiero con toda mi alma! (*Respira.*) Ya está.

20 NATACHA. (*Le mira fijamente. Sonríe.*) Lo esperaba.

LALO. ¿Sí?

NATACHA. De usted puede esperarse siempre cualquier disparate.

LALO. Yo le juro a usted . . .

25 NATACHA. No, no, no jure nada. (*Amigablemente.*) ¿Por qué es usted así, Lalo?

LALO. ¿Así? . . . ¿Cómo? . . .

NATACHA. Así: irreflexivo, volcado siempre hacia fuera como un chiquillo, y con una intrépida frivolidad. Usted siente el 30 deber varonil de hacer el amor a sus compañeras. Y me ha preparado esta escena con la esperanza de que yo no le haría mucho caso, pero en el fondo se lo agradecería. ¿Es así?

LALO. (*Buscando otro frente.*) Calma, calma, va usted demasiado de prisa. Lo que yo quería decirle es mucho más sencillo; y sobre todo, más concreto. ¿Me permite usted volver a empezar?

NATACHA. Empiece.

LALO. ¡Natacha!

NATACHA. . . . la quiero a usted con toda mi alma.

LALO. No. (*Le mira ella sorprendida.*) Confieso que antes me he excedido. ¿Me deja usted seguir solo? Natacha: yo sospecho que estoy empezando a interesarme por usted seriamente. Usted me mira con cierta curiosidad, pero en el fondo me desprecia. No ha visto en mí más que el tipo de estudiantón viejo estilo: divertido, generoso de sí mismo, inteligente muchas veces, a pesar de los libros de texto, pero irremediablemente inútil. Y yo vengo a decirle: quizá no me conoce usted bien. ¿Quiere usted conocerme, Natacha?

NATACHA. Ah, eso es mucho más razonable.

LALO. Yo prometo no mentirle en nada. No trataré de ocultarle ni uno solo de los defectos ni de las virtudes que me conozco.

NATACHA. (*Despistada.*) Pero, ¿está usted hablando en serio?

LALO. Perfectamente en serio. Veamos, primero, el aspecto físico de la cuestión. Datos concretos: he aquí mi ficha. (*Saca una cartulina del bolsillo y lee.*) "Lalo Figueras. Estudiante de Medicina. Treinta años. Herido tres veces en San Carlos. Talla: uno setenta. Perímetro torácico: noventa y ocho. Campeón de squí en Peñalara. No ha tenido ninguna enfermedad fuera de la infancia, ni acusa el menor antecedente morboso. Metabolismo normal. Temperamento sanguíneo. No habla alemán." ¿Qué tal?

NATACHA. Interesante. ¿Eso de no hablar alemán, es también una virtud?

LALO. En mí, sí. He tenido una novia alemana. Era guapísima, pero completamente tonta. Y para conservar la ilusión juré no aprender jamás ese idioma.

NATACHA. Muy delicado por su parte. De todos modos . . . en una declaración de amor, podía haberse ahorrado ese dato.

LALO. No podía. Le he prometido antes que lo mismo que mis virtudes, le confesaría mis defectos. Lo confieso: he tenido una novia alemana. No lo haré más.

NATACHA. Bien. ¿Ha terminado ya?

LALO. En el aspecto animal, sí. Reconozca usted que, por lo menos desde el punto de vista eugenésico, no estoy del todo mal. En cuanto al espíritu . . . soy un romántico.

NATACHA. No me gusta nada el romanticismo. Es la tristeza organizada como espectáculo público: llantos desmelenados, venenos, adulterios y músicos tuberculosos. No me gusta.

LALO. Qué le vamos a hacer; me falló esa rueda. En cuanto a lo social, soy individualista y robinsoniano. Puedo bastarme a mí mismo en una isla desierta.

NATACHA. Tampoco me gusta. Es una idea educativa de la Revolución francesa. Y está mandada retirar esa teoría.

LALO. Ah, pero es que en mí no es una teoría: es un hecho. Yo, aparte un poco de Medicina, sé cazar y pescar, cultivar el maíz, fabricar cestos de mimbre . . .

NATACHA. Enhorabuena; con muy poco más sería usted un salvaje perfecto. (*Se levanta.*) ¿Y quiere que nos dejemos ya de ingeniosidades? Hablemos lealmente. Usted no siente por mí el amor que se imagina. Yo por usted, tampoco; la verdad, ante todo. De quien está usted verdaderamente enamorado es de sí mismo. Pero se equivoca mucho si piensa que le desprecio. Usted podrá ser una fuerza desorientada; pero es una fuerza. ¿Por qué no le busca un cauce social a esa alegría, a esa fe en la vida que le desborda siempre? ¡Podría hacer tanto bien! Usted sería un magnífico profesor de optimismo.

LALO. (*Ante una revelación.*) ¿Profesor de optimismo? ¡Gran idea! Pero, ¿cómo no se me había ocurrido a mí eso?

NATACHA. Renuncie usted a su carrera. ¿Qué ganaría el mundo con tener un mal médico más? Aprenda en cambio, si todavía no sabe, a tocar la guitarra, a contar cuentos y sueños. Vaya a buscar a los pobres, a los enfermos, a los trabajadores que se nos mueren de tristeza en las eras de Castilla. Y repártase entre ellos generosamente. Lléveles esa alegría, enséñeles a reír, a cantar contra el viento y contra el sol. Y entonces sí, entonces será usted el mejor de mis amigos. (*Estrechándole la mano.*) ¡Con toda el alma! Adiós, Lalo. (*Sale.*)

VII

LALO. (*La mira ir. Le desborda una alegría sincera, llena de admiración.*) ¡Qué mujer! Las eras de Castilla . . . cantar contra el viento y contra el sol . . . ¡Qué mujer! (*Entra Sandoval, médico viejo, encogido y pulcro. Cartera de documentos al brazo.*)

SANDOVAL. Perdone . . . ¿La señorita Natalia Valdés?

LALO. ¿Natacha?

SANDOVAL. No sé, quizá.

LALO. ¡Extraordinaria mujer! Hablemos de ella, querido, hablemos de ella.

SANDOVAL. Permítame que me presente: Félix Sandoval, médico y secretario del Reformatorio de las Damas Azules.

LALO. Mucho gusto. Lalo Figueras, estudiante de Medicina; profesor de optimismo de la casa.

SANDOVAL. ¿Profesor de optimismo?

LALO. Acaban de nombrarme. Veintiuno de junio. Día de plenitud. Señalémoslo con piedra blanca, mi querido Don Félix. (*Se pone una flor en el ojal.*) ¡Mire qué hermosa luz de poniente! ¡A estas horas se habrá firmado ya mi suspenso en Medicina Legal!

SANDOVAL. Usted perdone . . . ¿Es en la Residencia de Estudiantes donde estoy?

LALO. En la Residencia es. El día del solsticio de estío; con veintidós grados a la sombra, en una habitación llena de flores . . . ¿Le pongo una? (*Lo hace mientras sigue hablando.*) Y ¡para hablarme de Natacha! ¡Oh, Natacha es la
5 mujer más encantadora de la tierra! ¡Si viera usted qué calabazas acaba de darme!

SANDOVAL. (*Inquieto.*) ¿Sí? . . . Je, je . . .

LALO. ¡Y con qué sinceridad! ¡Con qué compañerismo! ¡Ah! Ella me ha abierto los ojos; yo no sabía que la gente se
10 estaba muriendo a montones en las eras de Castilla. Hay que evitar eso a todo trance . . . ¡Usted sabe tocar la guitarra?

SANDOVAL. (*Francamente amedrentado.*) ¿La guitarra? . . . No . . . Todavía no . . . Pero aprenderé, aprenderé . . . Buenas tardes. (*Sale.*)

15 LALO. Adiós, Don Félix. Simpático Don Félix. Adiós. (*Canta*):

Pero la infiel
se burlaba ¡pumba!
de mi amor
20   ¡zas!

Entran Flora, Rivera y Aguilar. En seguida, Don Santiago. Traen más chucherías, flores y botellas.

LALO, FLORA, RIVERA, AGUILAR, DON SANTIAGO. LUEGO
NATACHA Y MARIO.

LALO. Pase Nuestra Señora de los Ramos Verdes. Pasen los esclavos nubienses con los cántaros de hidromel. ¿Don Santiago? . . .

FLORA. Ahí viene también.

25 LALO. (*Llama.*) ¡Natacha! . . . ¡Mario! . . .

AGUILAR. (*A Rivera.*) ¿Qué le pasa a éste?

RIVERA. O ha recibido ya el suspenso, o le ha dado calabazas Natacha. (*Entran Natacha y Mario. Don Santiago por el lado opuesto.*)

LALO. El señor Rector nos tiene prometida una buena noticia. Helo ahí.

DON SANTIAGO. En efecto: una gran noticia para todos vosotros, y para la Universidad. (*Expectación.*) Nuestro viaje de estudios por el Mediterráneo ha sido acordado ya. Dentro de ocho días zarparemos en el "Ciudad de Cádiz."

VOCES. ¡Hurra Don Santiago!

RIVERA. ¿Quiénes van por fin?

DON SANTIAGO. Irán representaciones de las distintas Facultades. Por lo que se refiere a vuestro grupo, vais todos. (*Exclamaciones de alegría. Empiezan a descorcharse las botellas.*)

FLORA. Un crucero de dos meses. ¡Juntos!

LALO. El barco es magnífico. A lo mejor, hasta naufragamos.

FLORA. ¡Tocaremos en Atenas!

RIVERA. ¡Llegaremos al Mar Rojo!

LALO. Y veremos Egipto, Mario. Para mí, las pirámides; para ti, el escarabajo sagrado.

AGUILAR. Brindemos, Don Santiago.

DON SANTIAGO. Vosotros, vosotros. Yo no puedo ya beber nada. Ni quiero enturbiar vuestra alegría con mis años.

MARIO. (*Levanta su copa.*) Estudiantes: por nuestro Rector . . . el más viejo y el más querido de nuestros compañeros.

DON SANTIAGO. Gracias, gracias. (*Sale mientras brinda Lalo.*)

LALO. Por nuestro Rector, que ha organizado este maravilloso crucero; que ha elegido un espléndido barco, lo embreó bien de ilusiones por dentro y por fuera y metió dentro un par de estudiantes de cada especie. (*Risas.*)

RIVERA. Brindemos por la compañera que hoy se nos va. ¡Que la doctora Natalia Valdés siga siendo siempre nuestra Natacha!

TODOS. ¡Nuestra Natacha!

NATACHA. Por la nueva estudiantina española; por esa alegría fecunda, que es el mejor tesoro de nuestra Universidad.

LALO. ¡Muy bien! ¡Que hable Mario!

MARIO. Yo no sé hablar.

LALO. No importa; que hable.

TODOS. ¡Que hable, que hable! (*Le obligan a subir a una silla.*)

MARIO. Compañeros (*Silencio.*) Yo no soy orador . . .

5 VOCES. Muy bien, muy bien.

MARIO. Gracias. No soy orador, ni poeta . . .

VOCES. ¡Muy bien!

MARIO. Pero, ¿quién no se siente poeta y orador ante ese viejo mar que nos aguarda? Saludemos en el mar latino el primer

10 camino de nuestra civilización. Recordemos que por ese mar, cuando éramos un simple país de conejos y de iberos desnudos, vinieron los fenicios, que nos trajeron el alfabeto, que nos trajeron la moneda . . .

LALO. Y que les enseñaron a los ingleses a explotar nuestras

15 minas.

TODOS. ¡Muy bien! ¡Bravo!

MARIO. Yo te saludo, con toda la emoción y la gratitud de mi raza: mar azul de Afrodita, mar aventurero de Ulises, "Mare Nostrum."

20 LALO. Amén. (*Aplausos.*) Compañeros: un poliestornudo en honor del mar latino. (*Señalando tres grupos.*) ¡Austria! ¡Rusia! ¡Prusia! (*Dice cada grupo uno de estos nombres, de modo que se oiga una especie de estornudo colectivo.*)

RIVERA. Y ahora, entonemos nuestro Gaudeamus estudiantil.

25 (*Cantan a coro levantando las copas*):

Gaudeamus igitur
iúvenes dum sumus . . .

VIII

DICHOS y SOMOLINOS, *que aparece en la puerta.*

SOMOLINOS. ¡Alto! Alto ahí! (*Se hace el silencio.*) ¡Las notas! (*Expectación. Voces.*)

30 VOCES. ¡Di pronto! ¿Están las mías? ¡Dame!

SOMOLINOS. Calma; no os echéis encima. ¡Todos bien! (*Repartiéndolas.*) Flora Durán: enhorabuena. Miguel Rivera: arriba siempre. Luis Aguilar: bravo, Luis . . .

AGUILAR. ¿Y tú?

SOMOLINOS. ¡Como nunca! (*Hay los abrazos y exclamaciones consiguientes.*)

LALO. (*Que ha quedado aparte en silencio.*) ¿Y para mí? ¿No traes noticias? . . .

SOMOLINOS. Para ti . . . malas.

LALO. (*Adoptando su bello papel de víctima.*) Di, sin miedo. Soy fuerte. Suspenso, ¿verdad? (*Somolinos deniega con la cabeza tristemente.*) ¿No?

SOMOLINOS. Aprobado también.

LALO. ¡Imposible! (*Coge su papeleta con un gesto trágico. Lee sin dar crédito a sus ojos.*) Lalo Figueras . . . Medicina legal . . . a-pro-ba-do. (*Amargo.*) ¡Así se hace justicia en España!

MARIO. (*Se lleva un dedo a los labios.*) Respetemos su dolor.

RIVERA. Resignación, Lalo.

Flora y Aguilar le dan la mano con una leve caricatura de duelo y desfilan todos de puntillas. Lalo se deja caer anonadado en un asiento, rumiando su nota. Pausa. Vuelve Sandoval.

LALO Y SANDOVAL.

SANDOVAL. ¿Se puede?

LALO. (*Con voz desmayada.*) Adelante.

SANDOVAL. Perdón. La señorita Natalia . . . (*Se detiene al reconocerle.*)

LALO. La señorita Natalia Valdés. Le pasaré recado en seguida. ¿Tiene la amabilidad de sentarse un momento, señor Sandoval? (*Se quita, deshojándola, su flor.*)

SANDOVAL. Usted perdone . . . ¿Es usted el mismo muchacho que estaba aquí hace un momento?

LALO. El mismo.

SANDOVAL. Entonces . . . no comprendo.

LALO. ¡Ay! Hace un momento yo era un estudiante. ¡Un estudiante, señor! Ahora soy un animal jurídico responsable.
5 (*Muestra su papeleta.*) Usted es médico también, ¿no?

SANDOVAL. También.

LALO. (*Le estrecha la mano en silencio compasivo y le quita también su flor.*) Entorne usted así los ojos. Mire al porvenir: clavículas rotas, fiebres tercianas, partos atroces . . . Y yo por
10 esos caminos, en una mula, con un paraguas rojo . . . (*Cierra los ojos.*) ¿Quiere usted beber conmigo la última copa? (*Le sirve y levanta la suya lúgubremente.*) Vanidad de vanidades y todo vanidad . . . (*Rompe su copa y sale.*)

SANDOVAL. (*Sinceramente aturdido.*) ¡Profesor de optimismo!
15 (*Bebe y se sienta a esperar. Entra Natacha.*)

NATACHA Y SANDOVAL.

SANDOVAL. ¿Señorita Natalia Valdés? Félix Sandoval, secretario de las Damas Azules.

NATACHA. ¿Del Reformatorio? Mucho gusto.

SANDOVAL. Ante todo, mi más cumplida enhorabuena. Ha
20 sido el suyo un triunfo rotundo y justísimo.

NATACHA. Gracias, señor Sandoval.

SANDOVAL. Su tesis sobre "Los Tribunales de menores y la educación en las Casas de Reforma," nos ha causado una profunda impresión. Nosotros quisiéramos que nuestro Reforma-
25 torio para pequeños delincuentes y rebeldes, fuera una institución modelo, como las que usted sueña.

NATACHA. Usted me dirá en qué puedo ayudarles.

SANDOVAL. Pronto está dicho. Nuestro Reformatorio viene viviendo en un régimen de interinidad; con la mejor voluntad
30 por parte de todos, pero sin el personal técnico que los tiempos imponen. Y el Patronato ha pensado en usted.

NATACHA. ¿En mí?

SANDOVAL. ¿Nos haría usted el honor de aceptar la dirección del Reformatorio?

NATACHA. ¡Yo! ¿Pero el Patronato me conoce? ¿Saben que yo? . . .

SANDOVAL. El Patronato sabe solamente que es usted la primera doctora en Educación de nuestro país. Conoce sus trabajos sobre la materia. Y la Universidad nos ha facilitado las mejores referencias.

NATACHA. No es posible esto . . .

SANDOVAL. ¿Conoce usted el Reformatorio?

NATACHA. Sí . . . hace años. Demasiado triste.

SANDOVAL. Ha mejorado mucho desde entonces. Se ha levantado un nuevo pabellón, hemos abierto un campo de juegos . . .

NATACHA. ¿Qué condiciones me ofrece el Patronato?

SANDOVAL. Las que usted señale. Aquí traigo una hoja a su nombre. El sueldo está en blanco.

NATACHA. No se trata de eso. Pongamos el mínimo que hayan tenido las directoras anteriores. Lo que yo necesitaría es contar con una plena libertad de iniciativa en cuanto al régimen interior. Nunca aceptaría dar un solo paso en contra de mis convicciones.

SANDOVAL. Desde luego: usted tendría enteramente la dirección técnica de la Casa. El Patronato se reserva solamente la representación legal y la tutela administrativa . . . En fin; usted se toma el tiempo que necesite para reflexionar.

NATACHA. No es preciso. Aceptado, señor Sandoval.

SANDOVAL. Gracias, señorita Valdés. Esté segura de que el Patronato acogerá su decisión con la más sincera alegría. ¿Quiere usted firmar? Aquí. (*Firma Natacha.*) ¿Desde cuándo podemos contar con usted?

NATACHA. Desde mañana mismo.

SANDOVAL. Perfectamente. Pasaré a recogerla con la señora Presidenta. Gracias, siempre.

NATACHA. Hasta mañana. (*Sale Sandoval. Natacha, sola,*

apenas puede dominar su emoción.) ¡Al Reformatorio otra vez! Pero ahora, ¡a derribar las rejas, a inundarlo de luz y de vida! (*Llama.*) ¡Flora! ¡Lalo! ¡Mario! (*Van entrando todos.*)

Natacha y los Estudiantes.

Natacha. ¡Ahora sí que puedo brindar y reír con vosotros! 5 Al fin voy a trabajar, a ser útil. Pero no me abandonéis. Ahora, más que nunca, necesito esa alegría vuestra. Hay toda una juventud, enferma y triste, a la que nosotros podemos redimir. ¡Arriba ese corazón! Lalo, maestro de alegría. Vivir es trabajar para el mundo. ¿Qué importa lo que queda atrás? ¡La vida 10 empieza todos los días!

Lalo. (*Contagiado de su entusiasmo.*) ¡Sí, Natacha! ¡Vivir! ¿Quién dijo ideas negras? Brindemos, amigos: a trabajar, a ser útiles al mundo. (*Levanta su copa.*) ¡Mañana mismo me matriculo en Filosofía y Letras!

Telón

ACTO SEGUNDO

IX

CUADRO PRIMERO

En el Reformatorio de las Damas Azules. Vestíbulo con acceso del exterior a un lado, y al otro comunicación con el resto del edificio. Al fondo, en terraza escalonada, más alto que el resto de la escena, una pérgola de rosal o enredadera. La terraza dará salidas laterales al jardín. Tendrá tres arcos, más amplio el del centro, el cual, cerrado después con unas cortinas, servirá en el cuadro tercero para la representación de la "Balada de Atta Troll."

En la escena, una mesa y ficheros de trabajo. En la terraza, una pizarra escolar de trípode, barnizada de verde mate.

En escena la Profesora, Srta. Crespo; Fina, Encarna, María y varias educandas más, de quince a dieciocho años.

Visten tristes uniformes oscuros o color ceniza, largos, muy cerrados, y cinturón azul; el pelo recogido, sin el menor adorno. La profesora, seca, rígida, autoritaria, pero de ningún modo ridícula. Están ensayando una pequeña ceremonia de recepción.

SEÑORITA CRESPO. No, no, así no. Usted debe adelantarse, humilde y sonriente. El ramo en la izquierda; la falda, recogida un poco con la derecha. Se hace la reverencia. Primero a la Presidenta: ¡Señora Marquesa! Y luego a ella: ¡Señora Directora! Etcétera, etcétera. A ver; sin el ramo. (*Encarna se adelanta, hace con gran desparpajo los movimientos indicados y contiene una carcajada.*) ¡Silencio! ¿A qué viene esa risa estúpida? 5

31

Encarna. Si son ellas las que empiezan.

Señorita Crespo. No quiero oír una risa más. (*Mira secamente a todas.*) A ver.

Encarna. ¡Señora Marquesa! Señora Directora. Aceptad estas pobres flores que han regado nuestras manos. Que ellas os digan lo que nuestra emoción . . . (*Nueva risa.*)

Señorita Crespo. ¡Señorita Méndez!

Encarna. (*Conteniéndose a duras penas.*) Lo que nuestra emoción en día tan feliz para el Reformatorio, no nos permite expresar con palabras.

Señorita Crespo. En fin . . . puede pasar. Luego se entrega el ramo, y se besa la mano, cogiéndola así. (*Coge la de Encarna y la mira con espanto.*) ¡Cómo! ¿Se ha pintado usted las uñas? ¡Qué vergüenza! ¿Y pensaba usted entregar el ramo así? Retírese a la fila. Manos atrás. (*Aparece un momento el Conserje para avisar oficiosamente.*)

Conserje. Prevenida, señorita Crespo. Ya llegan. (*Sale de nuevo.*)

Señorita Crespo. ¿Hay alguna otra que lo sepa? ¡Pronto!

Fina. (*Levantando la mano.*) Si usted quiere . . .

Señorita Crespo. ¿Usted? Vaya, a última hora, la más torpe. En fin . . . (*Le da el ramo y se pone delante.*) Quítele el papel . . . Diga: sí, señora Directora; no, señora Directora . . . Al besar la mano se dobla la rodilla . . . ¡Fila! . . .

Dichas, Señora Marquesa, Natacha y Sandoval, *que entran, precedidos del* Conserje.

Marquesa. . . . y éste, que es el nuevo pabellón, ocupado por las educandas más antiguas. (*Presenta.*) La Profesora, señorita Crespo. Doña Natalia Valdés, la nueva Directora.

Señorita Crespo. Mis respetos, señora Directora.

Natacha. Gracias.

Señorita Crespo. Las educandas desean hacerle presente su saludo. (*Hace una indicación a Fina, que se adelanta en la forma ensayada. Habla de corrido, con un tonillo nervioso y triste.*)

FINA. Señora Marquesa, señora Directora, aceptad estas pobres flores que han regado nuestras manos. Que ellas os digan lo que nuestra emoción . . . nuestra emoción . . . (*Risa contenida de Encarna.*)

NATACHA. (*Cortando cariñosamente la vacilación.*) Gracias, pequeña. Gracias a todas. (*Al ver que hace ademán de besarle la mano.*) ¿Qué vas a hacer? ¡Niña! La mano se estrecha: así. ¿Quieres una flor?

FINA. (*Indecisa, mirando a la profesora.*) ¿La cojo?

NATACHA. Si te gusta, ¿por qué no? Toma. Estás muy nerviosa, pequeña. Vuelve, vuelve a tu sitio.

MARQUESA. (*Al grupo.*) ¿Qué dicen mis educandas? ¿Estáis contentas aquí?

TODAS. (*A coro.*) Sí, señora Marquesa.

MARQUESA. Cuando os veáis otra vez en el mundo, ¿tendréis la energía necesaria para no caer nuevamente en el delito?

CORO. Sí, señora Marquesa.

MARQUESA. (*A Natacha.*) Estas mayorcitas son muy juiciosas. Nunca tenemos la menor queja de este pabellón.

SANDOVAL. Son tres años de permanencia. El buen espíritu de estas muchachas es el mejor elogio de su profesorado.

SEÑORITA CRESPO. Gracias, señor Secretario.

MARQUESA. Vuestra nueva Directora quiere ser para vosotras una madre y una compañera más. Ayudadla con vuestro cariño y con vuestra obediencia.

CORO. Así lo prometemos.

MARQUESA. Señorita Valdés: ha tomado usted posesión de su cargo. En nombre del Patronato, bienvenida a nuestra casa. (*Le estrecha la mano.*) Adiós, muchachas; hasta pronto.

CORO. Adiós, señora Marquesa.

MARQUESA. (*Excusando que la acompañe.*) Oh, no se moleste.

Natacha. ¡No faltaba más!

Salen Marquesa, Natacha y Sandoval. Delante el Conserje. La señorita Crespo, hasta la puerta. Las educandas aprovechan el momento para trabar su corro de comentarios.

Encarna. ¡Qué joven es!

Fina. ¡Y qué guapa!

Encarna. Pero tiene una muela de oro, ¿no os habéis fijado?
5 Y lleva las uñas pintadas. (*Con orgullo.*) ¡Como yo! (*Risas.*)

Señorita Crespo. (*Volviendo.*) ¡Silencio!

Encarna. ¿Ha visto usted? También la Directora se pinta las uñas.

Señorita Crespo. Silencio he dicho. La Directora es la Di-
10 rectora. Allá cada cual con su conciencia. ¡Fila! (*Vuelve Natacha.*)

X

Profesora, Educandas y Natacha.

Natacha. Y bien: ya estamos juntas, amigas. ¿Por qué estáis tan serias, en fila? Vamos, acercaos acá. ¿Cómo te llamas tú?

Fina. Josefina López Piñero, servidora.

15 Natacha. Pero no lo digas con ese tonillo, mujer. Josefina López. ¿Pepita?

Fina. Me llaman Fina.

Natacha. ¿Y qué te gustaría a ti ser, Fina?

Fina. ¿A mí . . . ?

20 Natacha. Si fueras completamente libre, si pudieras hacer lo que quisieras, ¿qué harías?

Fina. (*Después de una vacilación sonriente.*) Cuidar gallinas y conejos. (*Encarna contiene su risa.*)

Señorita Crespo. ¡Señorita Méndez!

25 Fina. Las conejas paren siete crías todos los meses. ¡Ochenta y cuatro hijos al año, señorita!

SEÑORITA CRESPO. ¡Señorita López! ¿Qué lenguaje es ese?

NATACHA. (*Suave.*) Déjela. ¿Qué mal hay en ello? Si se dice así . . . Muy bien, Fina; tú cuidarás conejos. Pero, ¿de qué te viene esa afición?

FINA. No sé . . . ¡Como en mi casa éramos once hermanos! . . . A los cinco más pequeños los crié yo. (*Nueva risa contenida de Encarna.*)

NATACHA. ¿Qué te pasa a ti? Siempre estás ahí, conteniendo la risa a escondidas. Vamos, ven acá.

ENCARNA. Yo me llamo Encarna.

NATACHA. Y tú, Encarna, ¿nunca te has reído con toda tu alma delante de la gente? ¿Quieres reírte ahora? A ver, que te oigamos. (*Encarna empieza conteniendo la risa. Luego estalla en una larga carcajada. Al fin para sin aliento.*) Así. ¿Estás más descansada ya?

ENCARNA. (*Respirando aliviada.*) Ay, sí, señorita; muchas gracias.

NATACHA. ¿Y tú? ¿Cómo estás tan callada, con esos ojos tan tristes? ¿Cómo te llamas tú? (*La educanda baja la cabeza.*) Vamos, levanta esa frente; sin miedo. ¿Cómo te llamas?

MARÍA. María Expósito.

NATACHA. (*La mira en silencio. Se acerca a ella y le da un beso en la frente.*) María es un bonito nombre. Me da el corazón que vamos a ser muy buenas compañeras. Hoy voy yo a empezar pidiéndoos un favor a todas: no me llaméis nunca "señora Directora." No me suena bien . . . y me parece que hace vieja. ¿Queréis? Me llamo Natalia Valdés. Entre compañeras, Natacha. ¿Os gusta así?

ENCARNA. ¡Sí, así!

FINA. ¡Señorita Natacha!

NATACHA. Así. Gracias. Vosotras, en cambio, me vais a pedir otra cosa. Algo que yo os pueda dar; y para todas. Siempre hay algo que se echa de menos, que no nos atrevemos a pedir, y que a lo mejor es tan sencillo . . . ¿Queréis pensarlo? ¿Me

hace el favor un momento, señorita Crespo? (*La lleva a la mesa, le entrega el ramo para disponer las flores en un cacharro. Se quita el sombrero, etc., con la naturalidad del que toma posesión de su casa. Las educandas, aparte, discuten vivamente*
5 *en voz baja.*) ¿Cuánto tiempo lleva usted en el Reformatorio?

SEÑORITA CRESPO. Cuatro años.

NATACHA. ¿Y está usted contenta?

SEÑORITA CRESPO. Creo que cumplo mi deber.

NATACHA. Bien. Pero ¿está usted contenta?

10 SEÑORITA CRESPO. Cuando se cumple el deber se está contento siempre.

NATACHA. Oh. La felicito.

ENCARNA. Señorita Natacha.

NATACHA. ¿Ya está? Di.

15 ENCARNA. (*Volviéndose a sus compañeras.*) ¿Lo digo?

TODAS. Dilo, dilo ...

ENCARNA. Señorita Natacha ... si a usted no le parece mal, nosotras quisiéramos ¡no tener nunca más clase de matemáticas!

20 NATACHA. Ah ... no os gusta la clase de matemáticas. (*Reflexiona un momento mirando a la profesora.*) Perfectamente; no la tendréis nunca más. (*Alegría entre las educandas.*)

ENCARNA. Gracias, señorita.

NATACHA. Ahora he de hablar un momento con vuestra pro-
25 fesora. ¿Queréis salir entretanto al campo de juegos?

FINA. ¿Solas?

NATACHA. ¿Es que os da miedo?

ENCARNA. Al contrario. ¡Solas! (*Salen alegremente.*)

NATACHA Y SEÑORITA CRESPO.

SEÑORITA CRESPO. Permítame la señora Directora. ¿Es que de
30 verdad piensa usted suprimir en el Reformatorio las matemáticas?

NATACHA. Las matemáticas, no; las clases.

SEÑORITA CRESPO. No comprendo . . .

NATACHA. Lo comprenderá usted en seguida. Es muy sencillo. (*Pausa.*) Parecen muy buenas muchachas todas ellas.

SEÑORITA CRESPO. Hum. Ya las irá usted conociendo.

NATACHA. He contado veintinueve en los dos pabellones. ¿Es el total?

SEÑORITA CRESPO. El total son treinta.

NATACHA. Entonces . . . ¿hay alguna enferma?

SEÑORITA CRESPO. Enferma, precisamente, no. Se trata de la señorita Viñal. Una indomable; el caso más peligroso del grupo. Está en la celda de reflexión.

NATACHA. (*Dolorosamente sorprendida.*) Pero, ¿existe todavía . . . "eso" que ustedes llaman la celda de reflexión?

SEÑORITA CRESPO. Sólo en casos extremos. Y por un máximo de cuarenta y ocho horas. Es un castigo previsto en el Reglamento.

NATACHA. (*Dominándose.*) ¿Por qué está aquí esa muchacha?

SEÑORITA CRESPO. Rebelde y vagabunda. Es incapaz de someterse a ninguna disciplina. Sólo le gusta andar, andar . . . de día o de noche, sin rumbo.

NATACHA. ¿Y qué falta grave ha cometido ahora?

SEÑORITA CRESPO. Se ha fugado la otra noche, descolgándose por la ventana con las sábanas. Han tenido que traerla los agentes. Es ya la tercera vez que intenta la fuga, en menos de un año.

NATACHA. Está bien . . . Hágala venir.

SEÑORITA CRESPO. Si la señora Directora lo ordena. (*Natacha afirma con la cabeza. Sale la señorita Crespo.*)

NATACHA. (*Ensimismada.*) La celda de reflexión . . . (*Se tapa los ojos queriendo alejar una imagen cruel.*)

XI

Entra el Conserje, espantado y orondo dentro de su magnífico uniforme.

NATACHA Y CONSERJE.

CONSERJE. Señora Directora. Esas educandas andan sueltas por el jardín. No respetan nada. La señorita Méndez se ha descalzado y se ha puesto a saltar sobre el césped. ¡Un césped como terciopelo! Quince años sin que nadie se atreviera a to-
5 carlo . . . (*Viendo que no le contesta.*) ¿Qué hacemos, señora Directora?

NATACHA. Estaba pensando lo feliz que será la señorita Méndez, descalza, por ese césped de terciopelo; ¿lo cuidaba usted?

10 CONSERJE. A ver; no tenemos jardinero.

NATACHA. Muy bien. Desde mañana lo cuidará la señorita Méndez. Seguramente para ella será una gran alegría, y un trabajo útil. Una cosa quería pedirle. Tiene usted un uniforme . . . demasiado espectacular.

15 CONSERJE. (*Halagado.*) ¿Le gusta?

NATACHA. No está mal. Las muchachas, en cambio, tienen unos uniformes tan pobres, tan tristes . . .

CONSERJE. Es que yo, señora Directora . . . ¡yo soy el Conserje!

20 NATACHA. (*Con imperceptible ironía.*) De todos modos. ¿Le sería muy violento descender un poco de categoría? ¿Vestirse, sencillamente, de americana?

CONSERJE. Imposible. ¿Cree usted que de americana me iban a respetar?

25 NATACHA. ¿Quién sabe? Inténtelo.

CONSERJE. (*Aterrado.*) Pero . . . señora Directora . . . Yo he sido cochero de casino; después, lacayo con la señora Marquesa. Y llevo aquí quince años de Conserje . . . ¡Yo he sentido siempre la dignidad del uniforme!

Entra la señorita Crespo. Trae cogida de las manos a Marga. Ésta, despeinada, hinchados los ojos de llanto, lucha como una pequeña furia por desasirse.

Señorita Crespo. ¡Señorita Viñal!

Marga. Suelte . . . suelte . . . (*Se desprende violentamente.*) ¡Que no me toque nadie! ¡Que no me miren! ¡No quiero ver a nadie! Ya podéis azotarme hasta que os duelan los brazos. Ya podéis atarme. No me dominaréis, cobardes. Me escaparé siempre, me romperé la cabeza contra las paredes . . . me morderé las muñecas hasta que me desangre . . . Vivir aquí, no. ¡Cobardes, cobardes! (*Cae desfallecida en un asiento, en una crisis de hipo y de llanto.*)

Natacha. (*Serenamente.*) ¿Quieren dejarnos solas?

Señorita Crespo. Como la señora directora ordene. (*Sale con el Conserje.*)

NATACHA Y MARGA.

Marga. ¿La Directora? Ah, ¿es usted la Directora nueva? Pues ya lo sabe: que me encierren, que me aten. No me dominaréis nunca. Yo me reiré de vosotras desde los caminos.

Natacha. Vamos, pequeña, serénate.

Marga. No me toque. ¿Por qué me encierran? Yo no he hecho mal a nadie. Yo sólo quiero andar, andar . . . ¿A quién hago daño con eso? ¡Cobardes! Cuarenta horas sin sol, entre unas paredes que se tocan con las manos . . . ¿Y por qué dejan jugar a las otras en el patio? No se puede jugar cuando uno se está pudriendo contra el suelo . . . oyéndolas reír y viendo volar las golondrinas.

Natacha. Calma, muchacha. No llores más. No volverá a ocurrir.

MARGA. Sí, mimos de gata ahora. Ya conozco eso. Todas las Directoras nuevas dicen lo mismo.

NATACHA. Ea, tranquilízate. Seamos amigas. ¿A ti te gusta andar? A mí también. Nos iremos juntas por el monte; traere-5 mos a la noche hojas y ramos verdes. Hemos de ser grandes amigas, te lo juro. ¿Cómo te llamas?

MARGA. Marga.

NATACHA. ¿Margarita?

MARGA. ¡Marga! Mírelo en la celda: lo he escrito por todas 10 las paredes para que no se olvide. ¡Marga, Marga, Marga! En la celda es lo único que se puede hacer. Allí hay otros nombres. Uno, grande, clavado con las uñas en la pared. ¡Natacha!

NATACHA. (*Cierra los ojos un momento.*) Los borraremos. Esta misma mañana vamos a hacer tú y yo un cubo de cal; 15 blanquearemos bien esas paredes; que no quede rastro. Luego, cerraremos la puerta y tiraremos la llave al estanque. Yo te prometo que esa celda no volverá a abrirse más. Ven, Marga . . . (*Marga se aparta, esquiva aún.*) No aprietes así la boca . . . Tan bonita como eres. Recógete ese pelo; lávate las lágrimas. 20 Esta tarde saldremos juntas; andaremos cantando hasta que no podamos más. (*Llevándola suavemente de la cintura.*) Verás qué bien sabe después volver a casa. Y dormir en la cama fresca, con las ventanas abiertas, mirando las estrellas . . . (*La lleva así hasta la puerta. Sale Marga. Natacha se vuelve para* 25 *recibir a las otras educandas que entran en tropel por el lado opuesto.*)

ENCARNA. ¡Señorita Natacha!

NATACHA. Qué, ¿os habéis cansado ya? Luego, en la mesa, tenemos que hablar. Se me está ocurriendo una cosa.

30 FINA. ¿Qué, señorita?

NATACHA. No me gustan esos uniformes negros, tan tristes. Si no resultara muy caro, podríamos tener otros. Iríamos mañana a Madrid, por la tela. Si cada una se comprometiera a hacerse el suyo . . . (*Sale.*)

EDUCANDAS. *Después,* MARGA.

ENCARNA. ¡Vestidos nuevos!

FINA. Pero yo no sé cortar.

ENCARNA. Yo te ayudo. ¿Cómo los queréis?

MARÍA. Azules.

FINA. ¡Blancos, blancos, que es como se ve si están limpios! 5

MARÍA. ¿Qué podrá costar?

ENCARNA. Somos treinta . . . a tres metros. Un buen percal puede encontrarse a una sesenta y cinco . . . Espera.

Hacen grupo en torno a la mesa rodeando a Encarna, que prepara lápiz y papel. Vuelve Marga.

FINA. (*Corriendo a ella.*) ¡Marga! ¡Por fin! . . . ¿Has visto a la nueva Directora? Es más guapa . . . más buena . . . Me 10 ha prometido que me dejará criar conejos y gallinas. Además, ¿sabes? ¡Nunca más tendremos clase de matemáticas!

MARGA. ¿De verdad?

FINA. ¡Nunca más! . . . ¡Y vamos a tener vestidos nuevos . . . blancos . . . Mañana iremos a Madrid a comprar la 15 tela! . . .

Marga se ilumina feliz. Corre a la pizarra y escribe en letras grandes: ¡Abajo las matemáticas! Entretanto, las demás hacen su trabajo.

ENCARNA. Noventa, a una sesenta y cinco. Nueve por cinco, cuarenta y cinco.

FINA. (*Corriendo allá.*) Y llevo cuatro. Nueve por seis, cincuenta y cuatro . . . 20

MARÍA. Y cuatro, cincuenta y ocho . . .

Natacha, desde la puerta, sonríe contemplando la escena.

TELÓN DE CUADRO

XII

CUADRO SEGUNDO

En el mismo lugar, algún tiempo después. Ha desaparecido la pizarra. Las educandas, a partir de este cuadro, visten sencillas batas blancas, alegradas con algún discreto adorno; con ligeras diferencias, pero sin uniformidad. Lo mismo en zapatos y peinados.

En escena la señorita Crespo, como en el cuadro anterior, y el Conserje, dentro de su soberbio uniforme. Pasa Fina hacia el jardín.

CRESPO, CONSERJE Y FINA. *Luego,* ENCARNA.

SEÑORITA CRESPO. ¿Qué lleva usted ahí, señorita López? ¡Más arroz! ¿A quién ha pedido usted permiso?

FINA. Es para los pollitos, ¿no los ha visto usted? Catorce, señorita, han salido del cascarón esta mañana.

5 SEÑORITA CRESPO. Pero, ¿a quién ha pedido usted permiso para coger ese arroz?

FINA. No era para mí.

SEÑORITA CRESPO. No era para usted. Pero, ¿a quién ha pedido permiso?

10 FINA. (*Confusa.*) A nadie.

SEÑORITA CRESPO. Muy bonito. Usted creerá que no tiene importancia. Pero no me da buena espina sorprenderle otra vez esas mañas. Recuerde usted por qué la han traído al Reformatorio.

15 FINA. Perdón . . .

SEÑORITA CRESPO. Que no vuelva a ocurrir.

FINA. Los pollitos son preciosos . . . tan pequeños . . . ¿Quiere usted venir a verlos?

SEÑORITA CRESPO. No tengo tiempo para ocuparme de

gallinas. (*Entra Encarna con una regadera. La deja un momento para arreglarse el pelo ante un espejo que saca del pecho.*) ¿Y usted, señorita Méndez? Le he ordenado copiar cien veces el verbo "obedecer." ¿Lo ha hecho?

ENCARNA. No he tenido tiempo aún. A la tarde lo haré. Ahora tengo que regar mi césped. ¿Cuántos han salido, Fina?

FINA. Catorce, ¡tan menuditos, tan amarillos! Verás. (*Salen juntas sin oír a la profesora.*)

SEÑORITA CRESPO. ¡Señorita Mendez! ¡Señorita Méndez! . . . (*Se vuelve consternada al Conserje.*) ¿Ha visto usted, Francisco? ¡Esto se hunde! No hay disciplina, no hay respeto al profesorado.

CONSERJE. Dígamelo usted a mí. Yo ya no me atrevo a mandar nada. ¿Para qué? Y como la señora Directora se empeñe en vestirme de americana, tendré que marcharme. ¡Qué sería de mí, sin uniforme, entre estos bárbaros!

SEÑORITA CRESPO. Aquí no hace cada una más que lo que le gusta. Si las cosas siguen así, esto, más que un Reformatorio, va a parecer una colonia de vacaciones. Y desde que las comidas y los recreos se hacen en común con los muchachos, peor. Esos chicos son unos salvajes. Acabarán por quitar a nuestras educandas la poca delicadeza de mujer que les quedaba.

Se oyen gritos y llanto fuera. Entra Fina, seguida de Juan, un muchachote de dieciocho años, violento y sano; en seguida, Natacha.

CRESPO, CONSERJE, FINA, JUAN Y NATACHA.

SEÑORITA CRESPO. ¿Qué gritos son esos?

FINA. Me ha pegado . . . me ha tirado al suelo. Mírele qué valiente.

NATACHA. ¿Qué ha sido eso, Juan?

JUAN. No la he pegado; la he empujado nada más. Yo pasaba por mi sitio.

Fina. Pero estaban los pollitos; los hubiera aplastado el muy bárbaro.

Juan. Los pollos estaban estorbando; el camino es para pasar. Y esta tonta se me pone delante, hecha una furia, sacando las uñas . . . ¡Como si fuera ella la gallina! Entonces le di un empujón, y pasé. Eso fué todo.

Natacha. Déjanos, Fina. ¿No ha sido nada, verdad? Vuelve a tus pollitos. (*Sale Fina. Natacha se dirige a Juan. Le pone familiarmente una mano en el hombro.*) ¡La has pegado! Y, ¿no te da un poco de rubor, Juan? Tú, tan fuerte, pegar a una muchacha . . .

Juan. Tiene usted razón; nunca se debe pegar a una muchacha . . . Pero . . . ¡es que no había ningún chico por allí cerca!

Natacha. Ni a los chicos tampoco. ¿Es que necesitas sin remedio pegar a alguien?

Juan. A veces, sí. No sé lo que me pasa. Tengo tanta sangre, que no sé qué hacer con ella.

Natacha. Lo que podías hacer es un gallinero. Realmente esos pollos no están bien en el jardín. ¿Tú sabes clavar, serrar madera? . . .

Juan. ¡Ya lo creo! Es muy fácil.

Natacha. En el almacén hay tablas y tela metálica. ¿Quieres hacerlo? Es la mejor satisfacción que puedes dar a Fina.

Juan. (*Ilusionado.*) ¿Hacer un gallinero? Ahora mismo.

Natacha. Ábrale el almacén, Francisco. Y si quiere usted ayudarle . . .

Conserje. ¿Yo, señora Directora?

Natacha. A su gusto.

Conserje. (*Con un gesto de cómica resignación.*) Andando. (*Salen.*)

Natacha y Señorita Crespo.

Señorita Crespo. Ese muchacho nos dará un disgusto serio.

Es el matón de la casa; no hay un solo compañero que no tenga cardenales suyos.

NATACHA. Por eso está aquí. Pero no es caso perdido. Juan acabará siendo un hombre útil. Lo que le sucede, acaba él de decirlo a su manera: "tiene tanta sangre, que no sabe qué hacer con ella." Procuremos tenerle siempre ocupado en algún trabajo. Lo único que necesita ese muchacho es fatigarse. (*Pausa.*) ¿Qué iba usted a hacer ahora?

SEÑORITA CRESPO. He de dar mis clases.

NATACHA. Deje las clases; ya llegaremos a eso. Las educandas están ocupadas en la huerta. ¿Por qué no va usted allá? Hable con ellas, interésese por sus cosas . . .

SEÑORITA CRESPO. Como la señora Directora ordene.

NATACHA. Siempre la señora Directora. Así no haremos nada. Yo le pido a usted colaboración, y usted sólo me da obediencia.

XIII

SEÑORITA CRESPO. Yo no discuto nunca a mis superiores. Lo que sí tengo el deber de advertirle es que la disciplina de la casa está gravemente quebrantada. Aquí son los muchachos los que se toman toda iniciativa.

NATACHA. Es la servidumbre de nuestra profesión. Hoy la educación no admite más esclavos que los maestros.

SEÑORITA CRESPO. Si ellos supieran regirse, bien. Pero las clases están abandonadas. Sólo trabajan en lo que les gusta.

NATACHA. Pero trabajan todos. ¿Y no ha observado usted que, con tan poca cosa, son felices? Pues siendo así, tranquilícese. La obra de reforma moral que esperamos, vendrá por ese camino. (*Acompañándola hasta la puerta.*) Vaya con ellos. Si les oye reír, alégrese usted también. Y créame, señorita Crespo: sin un poco de felicidad, o se es un santo, o no se puede ser bueno. (*Sale la señorita Crespo. Natacha va a la mesa; toma del fichero una carpeta, repasa varias fichas y*

queda contemplando una: es la suya. Lee como para sí.)
"Natalia Valdés . . . carácter melancólico y huraño . . . rebelde peligrosa . . ." (*Vuelve el Conserje.*)

NATACHA Y CONSERJE.

CONSERJE. Ya está ese muchacho trabajando. No quiere que
5 le ayude nadie.

NATACHA. Acérquese, Francisco. Le he rogado varias veces que prescinda usted de ese uniforme. ¿Por qué no quiere hacerme caso?

CONSERJE. Es que, señora Directora . . . hay que conocer un
10 poco a estos chicos. Por ejemplo: arman un escándalo en el patio; yo me acerco, y me pongo así. (*Un gesto de gallarda autoridad.*) Esto, de americana, no resulta.

NATACHA. Perfectamente. No se ponga usted así.

CONSERJE. ¡Ah! Y si yo no me pusiera así, ¿qué sería del
15 Reformatorio?

NATACHA. Vamos a ver si nos entendemos. ¿Quiere usted que le cuente una vieja historia de esta casa?

CONSERJE. ¿Una historia? Muy bien.

NATACHA. Hace años vivía aquí una muchacha . . . melan-
20 cólica y huraña. En el jardín había entonces un césped de terciopelo, que no se podía tocar. Lo custodiaba una especie de dragón fabuloso: un conserje multicolor, con un magnífico uniforme. Era un tirano: cuando aquel uniforme tosía en el patio, temblaba todo el Reformatorio. Una vez, la muchacha
25 no pudo resistir la tentación. Era de noche; bajó descalza y se puso, con la luna, a bailar encima del césped. Pero la vió el conserje, y para asustarla, azuzó contra ella el mastín de la huerta.

CONSERJE. (*Nervioso.*) ¿El mastín? Je, je . . . ¿Qué bár-
30 baro, eh?

NATACHA. Mucho. El mastín no mordía; eso ya lo sabía el

conserje, claro; pero la muchacha, no. Y al verlo abalanzarse
sobre ella, la impresión fué peor que una dentellada. Tuvieron
que llevarla desmayada a su cuarto. Durante mucho tiempo la
pobre tuvo pesadillas atroces; se despertaba sobresaltada, gri-
tando; soñaba que la destrozaba a mordiscos un enorme mastín 5
con gorra de conserje. La cosa no pasó de ahí. Pero a aquella
muchacha le quedó para siempre un invencible horror hacia el
césped que no se puede tocar, y hacia los grandes uniformes.
(*Mostrándole la ficha.*) ¿La recuerda usted?

CONSERJE. Señorita Natacha . . . ¡Perdón!   10

NATACHA. Oh, ya pasó, Francisco, ya pasó. Esté usted seguro
de que la pobre Natacha no volverá a recordar esto nunca más.
Pero . . . ¿se quitará usted el uniforme?

CONSERJE. Sí, señorita, sí. Mañana mismo me verá usted sin
él. (*Inicia el mutis.*) Y no tenga miedo: el mastín ya murió el 15
año pasado.

*Sale. Natacha hace unas indicaciones en las fichas. Entra D.
Santiago.*

NATACHA Y DON SANTIAGO.

DON SANTIAGO. ¿Qué dice mi pequeña doctora?

NATACHA. (*Corriendo hacia él.*) ¡Tío Santiago! (*Se abra-
zan.*) ¿Solo?

DON SANTIAGO. ¿No han llegado aún tus compañeros? Pues 20
no tardarán. Esperaba encontrarlos aquí.

NATACHA. Tres meses separados. ¿Qué tal ese crucero por el
Mediterráneo?

DON SANTIAGO. Magnífico; ya te contarán, ya te contarán.

NATACHA. ¡Cuánto les he echado de menos!   25

DON SANTIAGO. Y cuánto te hemos recordado nosotros. En
todos los puertos . . . "Si Natacha estuviera aquí . . . Na-

tacha hubiera dicho . . . ¿Qué será de Natacha?" . . . ¡Siempre nuestra Natacha!

NATACHA. ¿Flora? . . .

DON SANTIAGO. Feliz; es una chiquilla con la vida en la mano.

NATACHA. ¿Mario? . . .

DON SANTIAGO. Tan serio siempre, dentro de sí mismo.

NATACHA. ¿Y Lalo?

DON SANTIAGO. Lalo . . . (*La mira sonriente.*) Lalo es un gran muchacho. Un torrente. El alma del viaje. Dime, Natacha . . . ¿qué hay entre Lalo y tú?

NATACHA. ¿Por qué?

DON SANTIAGO. ¡Te recordaba tanto! Sus palabras siempre venían a caer aquí. Cuando decía "Natacha," parecía una caricia. ¿Qué hay entre vosotros?

NATACHA. Oh, nada . . . Lalo cree que está enamorado de mí. Pero seguramente se engaña. Está enamorado de la vida entera, y acaricia lo que tiene más cerca. ¿Viene él también?

DON SANTIAGO. ¡Cómo iba a faltar él! Y con una promesa cumplida. ¿Recuerdas su idea del Teatro estudiantil? Ya está en marcha. En las horas de alta mar lo han ultimado y ensayado todo. El domingo os darán aquí su primera fiesta.

NATACHA. ¡Aquí! ¡Qué alegría para estos muchachos!

DON SANTIAGO. Así lo espero. ¿Qué, y de tu vida? ¿No me cuentas nada?

NATACHA. Ahora. También de eso tenemos mucho que hablar. Estoy llena de dudas, de vacilaciones.

DON SANTIAGO. ¿Tú?

NATACHA. Al principio todo me parecía sencillo. Veo claramente adonde quiero ir. Pero los medios . . . este pequeño problema de cada día . . . Venga conmigo; vea los talleres, la huerta. Ahora están todos trabajando. Véalos vivir . . .

Han salido con estas palabras.

XIV

La escena sola un momento. Entra Marga. Toma una silla y abre sobre sus rodillas un atlas en el que va siguiendo con el dedo viajes imaginarios. Aparece Juan, en mangas de camisa, con una sierra en la mano.

MARGA Y JUAN.

JUAN. Señorita Natacha . . . ¡Marga!

MARGA. Buenos días, Juan. ¿Trabajando?

JUAN. Nada, una chapuza. ¿Qué haces tú ahí sola?

MARGA. Viajo.

JUAN. ¿Viajas? 5

MARGA. Por este atlas; me lo dió la señorita Natacha para eso. ¿Ves? Aquí está el mundo entero. Mira. (*Juan se arrodilla a su lado en el suelo.*) Esta es España; y esto, azul, el mar. Lee ahí: "Mar Mediterráneo." ¿No sabes leer?

JUAN. (*Avergonzado.*) No. (*Reacciona.*) No sé porque no 10 quiero; no creas que soy tonto. Si yo quisiera . . . Bah, leer sabe todo el mundo.

MARGA. ¿No fuiste nunca a la escuela?

JUAN. De pequeño . . . una tarde.

MARGA. ¿Una tarde sólo? Poca cosa habrás podido hacer en 15 una tarde.

JUAN. Poca cosa, sí; rompí dos cristales. (*Contemplando un dibujo del atlas.*) Oye, ¿qué bicho es éste que hay aquí pintado?

MARGA. Un hipopótamo . . . ¿De qué te ríes? 20

JUAN. Me estaba fijando en que se parece al conserje.

MARGA. Sí se parece, sí. (*Ríe también.*) Mira; los hipopótamos . . . viven aquí, en el agua. Y a la derecha de los hipopótamos empieza Asia. ¿Ves esto rojo? Hay ríos muy grandes, serpientes venenosas y casas de bambú. Es la India. 25

Juan. (*Va repitiendo casi imperceptiblemente.*) La India . . .

Marga. Después, la China. Todo el suelo está sembrado de arroz. Los chinos andan descalzos, con túnicas amarillas, y van todos tirando de un cochecito con un inglés dentro.

5 Juan. La China . . .

Marga. Y luego el Japón. Aquí. Unas islas llenas de crisantemos blancos. Las mujeres llevan un lazo atrás y sombrillas de colores. Los hombres no hablan casi nunca; y cuando se ponen tristes, se abren la barriga con un sable. Eso se llama 10 el "harakiri."

Juan. ¿El qué?

Marga. El "harakiri." Una cosa romántica.

Juan. (*Sinceramente admirado.*) ¡Cuántas cosas sabes, Marga! (*Le coge una mano con emocionada ternura.*) Y qué 15 bonita eres . . . qué bonita eres . . . (*Aparece el Conserje.*)

Dichos y Conserje.

Conserje. ¡Preciosa escena!

Juan. ¡El hipopótamo!

Conserje. ¿Es eso todo lo que trabajas?

Juan. Voy. (*Se acerca a él, achulado y burlón.*) Salud, maes-20 tro. ¡Qué espléndida barriga para hacerse el "harakiri"!

Conserje. ¿El qué?

Juan. El "harakiri" . . . ¡Rrrsss! ¿Qué sabe usted de romanticismos? . . .

Sale con su herramienta. El Conserje detrás. Marga, a solas con su atlas. Pausa. Se pasa una mano por la frente. Se reclina hacia atrás, cerrando los ojos. Se le cae el atlas. Llama, fuera, Natacha.

Natacha y Marga.

Natacha. Marga, Marga. (*Entra y acude a ella, sorprendida.*) 25 ¿Qué es eso, Marga? ¿Qué te ocurre?

MARGA. (*Vuelve en sí.*) ¿Me he dormido?

NATACHA. ¿Estás mal? Tienes frías las manos . . . ¿Qué es esto, Marga?

MARGA. (*Con miedo repentino.*) ¡Señorita Natacha . . . ! ¡Yo no quiero morir! ¡No quiero morir! 5

NATACHA. (*Inquieta.*) Pero ¿qué tienes?

MARGA. ¡Tan hermoso como es el mundo! No deje usted que me muera, señorita.

NATACHA. Tranquilízate, niña. ¿Quién habla de muerte? Ha sido un desvanecimiento sin importancia. Estás débil, no comes 10 apenas. ¿Qué te pasa?

MARGA. No puedo; no resisto las comidas. Me dan mareos todos los días.

NATACHA. ¿Cómo no me habías dicho nada?

MARGA. Creí que pasaría . . . Pero tengo miedo; me faltan 15 las fuerzas.

NATACHA. ¿Desde cuándo te sientes así?

MARGA. Hace tiempo ya. Empecé poco después de volver al Reformatorio.

NATACHA. ¿Cuando yo llegué? Recuerda eso, Marga. Dime 20 todo lo que ocurrió entonces. ¿Por qué te escapaste? ¿A dónde fuiste? No me ocultes nada.

MARGA. Me escapé porque quería andar, andar . . . Quería volver a la ciudad; ver las luces y los escaparates. Era más de media noche. Cogí flores en un jardín y seguí andando con mis 25 flores. Detrás de unos cristales había hombres y mujeres cenando. Me llamaron. —¿Cuánto valen esas flores? —No las vendo; las robé para mí. Se rieron. —¿Quieres sentarte con nosotros? Ellas iban muy pintadas; ellos tenían trajes negros, con solapas de seda. Me senté. Bebimos champán. Yo no lo 30 había bebido nunca; se tiene en un cubo de hielo, y se coge con una servilleta. Era gente muy simpática. El champán pica en las narices, pero hace reír. Luego, me llevaron en un auto. Yo iba detrás, con el más guapo, y una muy rubia, casi blanca.

Creí que eran novios; pero no, él no quería más que besarme
a mí. Yo me reía siempre; pero me dolía la cabeza; todo me
daba vueltas. ¡Hacía tanto calor! Me preguntó él: —¿Cuántos
años tienes? —Diez y siete. Entonces ella decía por lo bajo:
5 —Cuidado, Enrique, cuidado. Después, ya no sé. Cuando me
desperté, me habían dejado sola, entre la yerba, en un pinar de
Guadarrama. Me dolía todo el cuerpo . . . apenas podía andar
. . . Fué cuando me trajeron los agentes. (*Desfallece de nuevo.*)
Otra vez el mareo . . .

10   NATACHA. (*Le sostiene la frente. Pronuncia apenas entre
dientes.*) Canallas . . . canallas . . .

TELÓN DE CUADRO

XV

CUADRO TERCERO

*En el mismo lugar. Hay preparativos de fiesta. Juan y otro
par de muchachos acaban de colocar una cortina que cierra en
cuadro la pérgola, transformándola en tabladillo hábil para
representación de una farsa. Delante de la cortina, quedará
un espacio para la actuación del prólogo.*

*El Conserje, sin uniforme, trae sillas, que María y Encarna
van colocando delante del pequeño escenario, de espaldas al
público. Natacha y la señorita Crespo dirigen la instalación,
atendiendo a todos.*

JUAN. Esto ya está.

NATACHA. ¿Corre bien? (*Juan hace jugar la cortina.*) Así,
muy bien. Esas sillas, aquí. Trae más, Encarna; del comedor.

Entran corriendo MARGA y FINA.

15   MARGA. ¡Ya están ahí los estudiantes!

FINA. Son los títeres, señorita. ¡Traen un oso!

MARGA. Vienen cantando en un carromato. Mírelos, señorita; van a entrar en el jardín.

NATACHA. Avisa a todos, María. (*La llevan de las manos.*)

SEÑORITA CRESPO. (*Al Conserje.*) Los títeres . . . Era lo que nos faltaba.

CONSERJE. Resignación, señorita Crespo. Los estudiantes llegan. Dentro de poco, no quedará en esta casa piedra sobre piedra.

Entra Lalo. Viste de poeta romántico, chalina desbocada, frac verde, chistera de terciopelo.

CONSERJE, SRTA. CRESPO Y LALO. *Luego,* NATACHA.

LALO. Nadie en el jardín, nadie en el umbral . . . Ah, de la hostería. (*Entra.*)

SEÑORITA CRESPO. ¿Qué voces son ésas? ¿Quién es usted?

LALO. Capitán de mar y tierra de la poesía estudiantil. Abajo está mi retablo; son los osos románticos, los húngaros trashumantes, los lobos y los zorros fabulistas . . . ¿Puedo soltarlos aquí, hermosa dama?

SEÑORITA CRESPO. (*Intentando una sonrisa.*) Je . . .

LALO. No, si no le ha hecho gracia, no se ría; es lo mismo. (*Al Conserje.*) ¡Oh, ilustre cancerbero! ¿Qué decadencia es esa? El otro día tenía usted un caparazón más decorativo.

CONSERJE. (*Con el mismo gesto de la Señorita Crespo.*) ¡Je! . . .

LALO. (*Viendo llegar a Natacha.*) ¡Natacha! A mis brazos . . .

NATACHA. Gracias, Lalo. Ya me parecía que tardabais. (*Van entrando muchachos y muchachas.*)

LALO. ¿Está todo dispuesto?

NATACHA. El tablado, sí. Mira. ¿Está bien así?

LALO. Pluscuamperfecto.

NATACHA. ¿Necesitáis algo más? Pinturas, vestuario . . .

Lalo. Nada; todo está resuelto en nuestro carromato. Podemos empezar cuando queráis.

Natacha. ¿Ya? . . . Que vengan todos.

Lalo. Sentaos, muchachos. Y que silbe el que quiera, que
5 salte al tablado el que quiera; se admiten improvisaciones. No os pedimos ni perdón ni silencio. Alegría, sí. (*Levanta una mano anunciando.*) Atención: el Teatro estudiantil va a representar la *Balada de Atta Troll*. Un momento. (*Sale.*)

Han ido entrando todos los educandos y se sientan comentando en voz baja. Natacha entre ellos. La señorita Crespo y el Conserje, en pie, un poco aparte. Se apagan las luces del escenario y se ilumina el tabladillo de la pérgola. En la balada, Lalo es el "Poeta"; Flora, "Mumma" y Mario "Atta Troll." Rivera, Aguilar y Somolinos hacen el resto de los papeles a juicio del director de escena.

BALADA DE ATTA TROLL

Suena dentro una música—dulzaina y tamboril—de títeres de gitanos. El Poeta salta al tabladillo por delante de la cortina.

Poeta.   Alegría, muchachos,
10   que llegan los gitanos;
              a la una, a las dos y a las tres.
                A la una:
              que llegan los gitanos de cobre y aceituna.
                A las dos:
15   que traen el pandero y el oso y la canción.
                A las tres:
              que llegan los gitanos y marchan otra vez.
                  ¡Que llegan los gitanos!
                  ¡Que se van otra vez!
20   Alegría, muchachos;
              ¡a la una, a las dos y a las tres!

Corre la cortina. Plaza en una aldea del Pirineo francés. En escena, el Húngaro con pendientes y anillos: Atta Troll, oso rubio, con cadena al cinto, y la osa Mumma detrás de su pandero redondo. Realista el disfraz de Atta; graciosamente estilizados los demás. Pintados en las ventanas caras risueñas, geranios y banderolas.

HÚNGARO.   Ruede el pandero, grite la gaita;
            ¿quién no da dos cuartos
            por ver esta danza?
              Hombres, mujeres, mocitas en flor;
            ¿quién no da dos cuartos   5
            por ver a Atta Troll?
He aquí a Atta Troll en persona, y a Mumma, su compañera. Atta Troll es un oso alemán educado en España. Gran bailarín, marido fiel y serio como un senador. No tiene más defecto que su sangre, romántica y judía. Por eso le gustan las canciones 10 tristes, la cerveza y la luna. Toque el que quiera; no muerde. ¡Hombres, mujeres, mocitas en flor; a la salud de todos! ¡Baila, Atta Troll! (*Atta baila al palo. Mumma canta golpeando el pandero.*)

MUMMA.   La luna de Roncesvalles   15
            lava el pañuelo en la fuente;
            lo lava en el agua clara,
            lo tiende en la rama verde.
              Ay, la-la-la. Ay, la-la-la.
              Ay, la-la-la. Ay, la-lá.   20

XVI

POETA.   (*Desde fuera, acercándose al tabladillo.*)
              Atta Troll, ¿eres tú?
            Tú, el rey de las montañas,
            galán de Roncesvalles,
            señor de nieves altas.   25

¿Tú, risa de las ferias,
danzarín de barraca?
Rompe el hierro, Atta Troll . . . ,
¡el oso, en la montaña! . . .

5 HÚNGARO. Atta Troll es único en su arte. Los hombres le
admiran; las mujeres le lanzan miradas ardientes. Pero Atta
es un enamorado fiel; sólo le gusta su compañera Mumma, la
perla de Roncesvalles. Ahí la tenéis, pura y limpia como una
azucena de cuatro patas. ¿A quién quieres? Dilo tú, Atta Troll.

10 ATTA. (*De rodillas.*) ¡Mumma!

POETA.   Rompe el hierro Atta Troll,
              la montaña te aguarda.
              Allí el gruñido verde
              y la verde retama
15   y la luna torcaz de los pinares
              y el pasto fresco de las nieblas altas.
              Rompe el hierro, Atta Troll . . .
              ¡El oso, en la montaña!

HÚNGARO. Hombres, mujeres, mocitas en flor;
20   que siga la danza
              del rubio Atta Troll.
              Ay, la-la-la. Ay, la-la-la.
              ¡Baila, perro judío!

ATTA. ¡¡No!! (*Hace frente al palo. Se arranca con un rugido
la cadena, y saltando al escenario huye por entre las educandas
asustadas.*)

25 POETA. ¡Libre!

HÚNGARO. Aquí, Atta. ¡Ah, oso maldito! . . . hijo de contrabandista.

MUMMA. Atta . . . Atta Troll . . .

HÚNGARO. (*Volviendo su látigo contra ella.*) ¡Calla! ¡Calla
30 tú! (*Ciérrase la cortina.*)

POETA. No temáis. Quietos. Siéntense todos. Atta Troll ha

conquistado su libertad. Por la roca brava, mordiendo flor de retama y aire libre, ha vuelto a Roncesvalles. Su grito retumba en los puertos de leyenda como el cuerno de Roldán. Ahora lo veréis en su cubil caliente, con sus oseznas, gordas y rubias como hijas de pastores protestantes.

Suena de nuevo la dulzaina. Un redoble de tambor y se corre la cortina. Aparece el cubil de Roncesvalles. Atta, sentado en el suelo, habla a sus oseznas de juguete.

ATTA. Sí, hijas mías. El oso, en la montaña. Abajo, en las ciudades, los hombres. Son débiles y verticales; pero tienen una terrible inteligencia para hacer daño. Se creen superiores a nosotros porque cuecen la carne antes de comerla. Pero un día nos rebelaremos contra ellos y los arrollaremos. Entonces todos seremos libres. Y hasta los judíos tendrán derechos de ciudadanía, como los demás mamíferos. (*Pausa. Nostalgia.*) Y sin embargo . . . Las ciudades son hermosas, con luminarias y violines. Las ferias tienen caminos de olivos. Y se danza entre los ojos de las mujeres . . . ¿Qué será de mi pobre Mumma, cobarde y sola cantando? (*Recuerda*):

> La luna de Roncesvalles
> lava el pañuelo en la fuente;
> lo lava en el agua clara
> lo tiende en la rama verde
> Ay, la-la-la. Ay, la-la-la.
> Ay, la-la-la. Ay, la-lá.

Repiten el estribillo las educandas.
Por detrás del tabladillo aparecen el Húngaro, el Lobo y el Zorro. El Lobo con una ballesta, el Zorro con gafas leguleyas y un gran libro. Traen atada a Mumma.

HÚNGARO. ¿Habéis oído cantar? Su cueva está cerca.
LOBO. Pero Atta Troll es fuerte.

ZORRO. Detengámonos. Lo importante es buscar una fórmula.

HÚNGARO. No hay fórmulas. Me dejó en la miseria, y debe morir. Tengo derecho a su piel.

LOBO. Yo tendré su carne.

5 ZORRO. Y yo os absuelvo en nombre de la ley. Atta es un oso demagógico y libertario. Hágase justicia. (*Abre su libro.*) Artículo ciento cuarenta y ocho.

POETA. ¡Atención, Atta Troll!
El hombre y el lobo y el zorro te buscan;
10 el hombre y el lobo y el zorro te matarán.
El hombre trae la codicia,
el lobo trae el cuchillo,
y el zorro, el código penal.

HÚNGARO. Subamos a su cubil.

15 LOBO. Peligroso. Atta Troll es fuerte.

ZORRO. Calma; cuando podáis hacer una cosa a traición, no la intentéis de frente. ¿Para qué tenemos aquí a Mumma? Atta Troll la quiere. Que ella lo llame, y él mismo vendrá a caer en nuestras manos. Yo os juro que no hay animal más estúpido
20 en este mundo que un oso enamorado.

HÚNGARO. Tiene razón maese Zorro. (*Amenazando con el látigo.*) ¿A quién quieres tú, Mumma? ¡Dilo!

MUMMA. (*Débil.*) Atta Troll . . .

HÚNGARO. ¡Más!

25 MUMMA. Atta Troll . . . (*Atta Troll que se había tendido en el cubil, se levanta de pronto.*)

ATTA. ¿Quién llama? ¿Quién me golpea esta sangre, caliente de recuerdos?

HÚNGARO. (*Retorciéndole los brazos.*) ¡Dilo más fuerte!
30 ¡Grítalo!

MUMMA. Atta . . . ¡Atta Troll!

ATTA. ¡Es su voz!

POETA. No salgas. ¡Es la traición, es la muerte!

ATTA. Y qué importa, si es ella. Si toda la montaña me huele a ella. (*Asomándose.*) ¡Mumma! ¡Aquí, Mumma! (*Entonces el lobo dispara su ballesta y se esconden todos.*)

HÚNGARO. ¡Tira!

LOBO. ¡Cayó!

POETA. Malditos, lobos y zorros 5
que engañáis con el amor.
En el val de Roncesvalles
lo mataron a traición,
al pie de la fuente fría,
al pie del espino en flor . . . 10
En el val de Roncesvalles
¡murió cantando Atta Troll!

ATTA. (*Cae lentamente.*)
Ay, la-la-la. Ay, la-la-la.
Ay . . . ¡Mum-ma! 15

XVII

Cortina. Los educandos aplauden. Se hace el oscuro en el tabladillo y se enciende nuevamente las luces del escenario. Lalo recoge en el pandero las flores que las muchachas se quitan del pelo y Atta Troll saluda desde el tablado.

LALO. Una flor, mocitas. Para los osos románticos, para los poetas, para los estudiantes. (*A Marga.*) ¡Gracias, cara de siempre novia!

CONSERJE. (*Que ha salido un momento al terminarse la representación, vuelve nervioso.*) ¡Señorita Natacha! . . . ¡La 20 señora Marquesa! . . . ¿Qué dirá si me encuentra así?

NATACHA. ¡La señora Marquesa!

Expectación. Circula la noticia y se inicia la desbandada. Los muchachos los primeros, llevándose las sillas. El Conserje también.

LALO. (*A Natacha.*) ¿Barco enemigo?

Natacha. Es la Presidenta del Patronato. Quietos. ¿Por qué os vais? La señora Marquesa tendrá el mayor gusto en presenciar nuestra fiesta. (*Entra la señora Marquesa acompañada de Sandoval.*)

Dichos, Marquesa y Sandoval.

5 Marquesa. Señora Directora . . .

Educandas. Buenas tardes, señora Marquesa.

Marquesa. Buenas tardes, muchachas. ¿Qué carromato he visto a la puerta, señorita Valdés?

Natacha. Es el teatro de los estudiantes. En este momento
10 acaban de presentarnos una balada de Heine.

Marquesa. (*Con un grito de espanto al ver, de pronto, al oso junto a sí.*) ¡Oh! . . . ¿Qué significa esto?

Natacha. Son mis compañeros. (*Presentando.*) Mario Ferrán, licenciado en Ciencias Naturales. (*Mario se quita la ca-
15 beza para saludar y le tiende la mano, que ella acoge con reservas.*) Lalo Figueras . . .

Lalo. Estudiante siempre. Herido tres veces en San Carlos.

Marquesa. (*Nerviosa, sintiendo un poco ridícula la situación.*) Muy pintoresco . . . muy pintoresco . . . ¿Podemos
20 pasar a su despacho, señorita Valdés?

Natacha. No es preciso. (*A los estudiantes.*) ¿Queréis dejarnos un momento? Señorita Crespo . . . (*Sale ésta con las educandas.*)

Sandoval. (*A Lalo.*) ¡Oh, el profesor de optimismo! . . .
25 ¿Qué, se ha comprado usted ya su paraguas rojo?

Lalo. ¿Quién piensa en eso? Ahora soy poeta. Que es una ciencia tan inútil como la Medicina; pero mucho más divertida. Hasta siempre, don Félix. (*Han ido saliendo todos.*)

Marquesa, Natacha y Sandoval.

Marquesa. Perdone mi falta de oportunidad. No tenía no-
30 ticias de esta fiesta.

SANDOVAL. ¿Puedo retirarme, señora Presidenta?

MARQUESA. No, usted quédese, se lo ruego. (*Pausa embarazosa.*) Señorita Valdés . . . He de hablarle en nombre del Patronato . . . una misión delicada. Se trata de su actuación al frente del Reformatorio. 5

NATACHA. Ruego a la señora Presidenta que hable sin el menor reparo.

MARQUESA. Hasta el momento, su labor sólo merece plácemes. Yo lo comprendo . . . usted tenía que atraerse a las muchachas . . . Sin embargo—perdóneme que se lo advierta—, 10 ¿no habrá ido usted demasiado lejos en sus concesiones?

NATACHA. No comprendo.

MARQUESA. Descendamos a algunos detalles. Las educandas se han acostumbrado a no sentir sobre sí la menor coacción. Viven en una alegre libertad, y hasta en un ambiente de cierto 15 lujo. Se ha instalado una sala de duchas; se han suprimido en el comedor los platos de estaño y los tapetes de hule. Tienen manteles blancos que cambian a diario . . .

NATACHA. Se los han hecho ellas, los lavan ellas . . .

MARQUESA. Sí, sí, muy bien. Pero esa mantelería, esas duchas 20 y tantas otras cosas, un poco excesivas, ¿no serán, a la larga, un daño para ellas? Piense usted que les está creando unas necesidades que luego no podrán satisfacer. ¿En qué condiciones volverán mañana a sus casuchas de vida amontonada y miserable? 25

NATACHA. Pero el mantel blanco y el agua, son compatibles con el hogar más humilde. Por otra parte, desde que las muchachas mismas se han encargado de la cocina, se gasta menos.

MARQUESA. No, si no es el dinero lo que me preocupa. Yo he tenido siempre mi bolsa abierta a todas las necesidades. 30

NATACHA. ¿Es decisión del Patronato volver atrás estas cosas?

MARQUESA. Oh, no, no insistamos en ello. Al fin y al cabo, son pequeños detalles sobre los que me limito a llamar su atención. Usted decidirá. Pero hay otras cosas . . . El régimen de

trabajo libre, la indisciplina que ya apunta por todas partes . . .
Es peligroso todo eso, tratándose de almas moralmente débiles,
formadas en el delito y en la calle.

NATACHA. Pero es que la dureza de vida, la violencia y el
5 castigo, ¿no son precisamente el régimen de la calle?

MARQUESA. Sí, ya sé lo que va a decirme. Sé, además, que no
le faltará a usted todo un cúmulo de doctrinas en que respaldar
su actitud. Pero yo me atengo a una triste realidad que conozco
desde hace muchos años.

10 NATACHA. (*Con amarga intención.*) Puede usted estar segura
de que también yo procedo sobre tristes realidades vividas.

MARQUESA. En fin, hasta aquí cabría la discusión. Yo he
vivido bastante y he acabado por acostumbrarme a creer que
la razón la tenemos siempre entre todos. Pero hay un último
15 problema en que no puedo transigir. La separación de muchachos y muchachas, ha empezado a quebrantarse: las comidas, los recreos y los trabajos de taller ya se hacen en común.
¿Ha pensado usted que ese régimen de convivencia en la pubertad—peligroso siempre—puede ser gravísimo en la at-
20 mósfera moral de un Reformatorio?

NATACHA. Yo no sé que una institución educativa pueda
organizarse de modo distinto a como está organizada la vida.

XVIII

MARQUESA. Es decir, ¿que usted no ve los peligros de ese
sistema aquí? ¿Sabe usted que ya hay quien ha sorprendido a
25 muchachos y muchachas besándose en los talleres?

NATACHA. (*Impaciente.*) ¿Y ha pensado usted si esos besos,
que no son un delito, pueden empezar a ser la redención de
otros males peores del aislamiento?

MARQUESA. ¿Qué quiere usted decir?

30 NATACHA. Si usted no me ha entendido ya . . . nada.

MARQUESA. (*Herida.*) ¡Señorita Valdés! Me está usted hablando con un aire de superioridad intolerable. Usted se cree dueña absoluta de la verdad.

NATACHA. Soy, sencillamente, leal a mis ideas. Tanto como usted a las suyas. Y lamento que sean tan opuestas. Por mi parte, el señor Sandoval recordará mis palabras al hacerme 5 cargo de esta Dirección: jamás aceptaré dar un solo paso en contra de mis convicciones.

MARQUESA. Entonces . . . ¿debo tomar esas palabras como una dimisión?

NATACHA. ¿No era eso lo que se pretendía? 10

SANDOVAL. (*Que ha seguido la escena con interior violencia, convencido alternativamente por una y otra réplica.*) Pero, reflexione usted . . .

MARQUESA. (*Cortando.*) ¡La señorita Valdés no habla nunca sin reflexionar, señor Sandoval! (*A Natacha.*) Créame que lo 15 siento. Me hubiera gustado encontrar en usted un poco más de transigencia. En cuanto a su contrato, puede usted reclamar la indemnización que estime oportuna. (*Llama.*) ¡Señorita Crespo! (*La señorita Crespo aparece inmediatamente.*) ¿Puedo dirigir unas palabras a las educandas? 20

SEÑORITA CRESPO. En seguida. (*Sale de nuevo.*)

SANDOVAL. (*Acercándose a Natacha.*) Lo siento con toda el alma.

NATACHA. Lo sé. Gracias. (*Vuelve la señorita Crespo con las educandas.*) 25

MARQUESA, NATACHA, SANDOVAL, SRTA. CRESPO Y EDUCANDAS.

SEÑORITA CRESPO. La señora Presidenta desea dirigiros la palabra. ¡Fila! Esa frente más alta, señorita Viñal . . . ¡Señorita Viñal! . . .

Marga, que ha entrado sin fuerzas, caída la cabeza, se dobla sobre las rodillas y se desploma hacia adelante. Revuelo.

MARQUESA. ¿Qué es esto?

ENCARNA. ¡Se ha desmayado!

MARQUESA. Pronto . . . Señor Sandoval . . .

SANDOVAL. A ver, ayúdeme. No será nada . . . Sosténgale la cabeza.

5 MARQUESA. ¡Dios mío!

FINA. ¡Marga! . . . ¡Marga! . . .

La llevan entre todos. Los estudiantes han entrado al oír los gritos. Quedan en escena con Natacha.

NATACHA Y ESTUDIANTES.

FLORA. ¿Qué ha pasado aquí?

MARIO. ¿Esa muchacha? . . .

NATACHA. Nada, un desmayo.

10 RIVERA. ¿Podemos hacer algo nosotros?

NATACHA. Os aseguro que no es nada. Ya le ha dado otras veces.

LALO. ¿Y a ti? ¿Qué te ocurre a ti?

FLORA. Te tiemblan las manos.

15 NATACHA. Nada tampoco. Parece ser que al Patronato no le ha gustado mucho mi labor. Y han enviado a pedir amablemente mi dimisión.

MARIO. ¡Natacha!

NATACHA. Ya no soy nadie en esta casa. (*Silencio angustioso.*)

20 LALO. Entonces . . . ¿todo ha terminado?

NATACHA. (*Rehaciéndose.*) ¿Terminar? Ah, no; ahora es cuando vamos a empezar de verdad. ¿No os tengo aquí a vosotros? (*Rápida.*) Óyeme, Lalo, te lo pido con toda el alma. Tú tienes una finca abandonada, una granja posible; un día se

25 la ofrecías a éstos por desafío . . . Déjanos esa finca, préstanosla. ¡Allí puede desenvolverse toda una vida!

LALO. Tuya es.

NATACHA. Y ayudadme todos. Estos muchachos vendrán

con nosotros. Me los he ganado yo día por día; son míos y me necesitan. Pero no me abandonéis vosotros. Vayamos allá todos. Dadme un año de vuestra vida para ellos.

LALO. Contigo siempre, Natacha.

NATACHA. (*Tendiendo las manos a todos.*) ¡Un año de vuestro trabajo! ¡Un año de vuestra juventud, y crearemos toda una vida nueva! ¿Todos?

ESTUDIANTES. ¡Todos!

DICHOS Y SANDOVAL.

SANDOVAL. (*Entra agitado.*) Señorita Natacha . . . Si no es posible. ¿Usted sabe? Esa muchacha . . . ¡lo que tiene esa muchacha es un hijo! . . .

NATACHA. (*Amargamente.*) Ya lo sabía.

SANDOVAL. Pero, si no es posible . . . ¿Qué hacemos?

DICHOS Y MARQUESA.

MARQUESA. Hay que evitar a todo trance que esto se sepa. ¡Qué vergüenza para el Reformatorio! Arréglelo como sea, señor Sandoval. Saque hoy mismo a esa muchacha de aquí. Llévela a una casa de Maternidad. ¡Que no lo sepan las otras!

NATACHA. (*Avanza, decidida.*) ¡Esa muchacha no saldrá de aquí más que conmigo.

MARQUESA. Puede usted estar satisfecha, señorita Valdés: sus hermosas doctrinas empiezan a dar resultado!

NATACHA. (*Herida, rebelándose ante la acusación.*) ¡Ah, eso sí que no! No son mis doctrinas. Preguntad la verdad a los pinos del Guadarrama. ¡Preguntadles hasta dónde es capaz de llegar un señoritismo borracho de champán! ¿Y ahora queréis volcar sobre ella una vergüenza que no es suya? ¿Es que queréis que empiece ya a maldecir esas entrañas que pueden ser su redención? ¡No! ¡No le mentiréis! (*Llamando.*) ¡Marga! . . . ¡Marga! . . .

Dichos, Encarna, Fina, Marga y Srta. Crespo.

Encarna. Ya viene aquí. (*Entra Marga, sostenida por Fina, detrás de la señorita Crespo.*)

Natacha. Aquí, Marga, ¡Conmigo! Es preciso que lo sepas. Vas a tener un hijo. Pero no te avergüences. ¡Levanta la frente y grítale ese dolor al mundo negro! ¡Que se arrodillen los culpables! . . . ¡Tú, de pie, con tu hijo!

Marga. (*Con un gozo febril que le rompe a gritos la garganta.*) ¡Un hijo! . . . ¡Un hijo! . . . (*Lalo vuelca ante ella su pandero de flores.*)

TELÓN

ACTO TERCERO

XIX

Un año después, en la granja que estudiantes y educandos han organizado. Especie de cobertizo o zaguán de acceso a la alquería. Al fondo, ventana grande sobre el campo. A la izquierda la escena abierta termina en un porche emparrado. Entre éste y la ventana, dos arcones, de grano y herramientas, y aperos de labranza. A la derecha, puerta de entrada a la casa; y una mesa con microscopio, láminas de corcho con insectos, libros, lupa, manga de entomólogo y una caja de cartón y cristales para la observación: es el "laboratorio" de Mario.

En escena, Fina y dos muchachos que pasan el grano de un saco al arcón, midiéndolo.

FINA. Cuarenta y ocho . . . cuarenta y nueve . . . y cincuenta. Listo. (*Toma nota en un pequeño block con un lapicero que lleva al cuello.*) Lo demás, al granero. Al fondo: no lo vayáis a mezclar con el centeno.

Entran los muchachos en la casa. Llegan de fuera Somolinos, Rivera, Aguilar y Juan. Unos en mangas de camisa, otros con monos grises de trabajo. Juan se sienta rendido. Los otros van dejando en el arcón sus herramientas, hilo de cobre, etc.

FINA, RIVERA, AGUILAR, SOMOLINOS Y JUAN.

FINA. ¿Ya habéis terminado vosotros?
SOMOLINOS. Ya.

FINA. Buena jornada. ¡Desde las cinco de la mañana!

SOMOLINOS. ¿Nos sentiste salir?

RIVERA. No se podía perder tiempo. Esto tenía que quedar hecho sin remedio. Es nuestra despedida.

5   FINA. ¿Cuándo tendremos flúido?

AGUILAR. Esta misma noche. ¿No habéis oído desde aquí la turbina? Hemos soltado la presa, y marcha admirablemente.

RIVERA. Luego, para el otoño, hasta podréis mandar luz a todas estas aldeas.

10   FINA. Va a parecernos mentira. ¡Aquellas noches de invierno con petróleo! ¿Sabrá Juan manejar todo eso?

JUAN. ¡Bah! . . . Es muy sencillo.

AGUILAR. Juan sabe ya todo lo que hay que saber. Es un bravo muchacho.

15   RIVERA. (A Aguilar.) ¿Te acuerdas, en la Residencia, el día que Lalo nos desafiaba a hacer esto precisamente? Tenía un fondo de razón.

AGUILAR. Entonces, no. Hacer esto por el placer de hacerlo, no era más que un deporte. Ahora, sí; ahora es un trabajo.

20   FINA. Pero estaréis rendidos.

SOMOLINOS. Ya descansaremos. Ahora, al río: un buen baño frío, y como nuevos. ¿Vamos, Juan?

DICHOS Y DON SANTIAGO. *Después,* MARÍA.

AGUILAR. Señor Rector.

DON SANTIAGO. ¿Qué hay? A vosotros no os he visto en toda 25 la mañana.

RIVERA. Hemos estado en el molino desde el amanecer, instalando la turbina.

FINA. ¿Ha recorrido usted ya toda la granja?

SOMOLINOS. ¿El lagar?

30   FINA. ¿Los establos?

AGUILAR. ¿La nueva roturación?

DON SANTIAGO. Todo. Y os confieso que estoy orgulloso de vosotros. No creía que en un año pudiera hacerse tanto.

RIVERA. Para nosotros, un año de vacaciones. ¡Lástima que se acaba ya!

DON SANTIAGO. (*A Aguilar.*) ¿Qué tal, señor agrónomo? ¡Buen curso de prácticas, eh?

AGUILAR. Bueno. (*Mostrándole las manos.*) Mire.

DON SANTIAGO. ¿Callos? No está mal; es un doctorado que debiera tener todo el mundo. (*A Juan.*) ¿Y tú? ¿No les pegas ya a tus compañeros?

JUAN. (*Sonríe sin fuerzas.*) Ahora no puedo. Estoy muy cansado.

DON SANTIAGO. ¿Salíais?

RIVERA. Al río, a hacer apetito. (*A María que cruza con un gran cesto de ropa lavada.*) ¿Qué tal está el agua, María?

MARÍA. Fresca, fresca. Así lava mejor. (*Van saliendo los estudiantes y Juan.*) Buenas tardes, Don Santiago.

DON SANTIAGO. Muy sonriente vas con tu carga.

MARÍA. Me gusta el trabajo de lavandera. El río corta las manos, pero da ganas de cantar. El cesto me lo hizo Lalo.

FINA. ¿Cuántas piezas van hoy a la colada?

MARÍA. Cuarenta y ocho. (*Sale. Fina toma nota.*)

DON SANTIAGO. Buena granjerita. No pierdes un detalle.

FINA. ¡Qué remedio! Soy la administradora general. (*Habla hacia el emparrado.*) De prisa, Francisco; así no acabaremos con la leña nunca.

Entra Francisco, el antiguo conserje, en mangas de camisa. Trae una carretilla con leña cortada.

FINA, DON SANTIAGO Y FRANCISCO.

DON SANTIAGO. Pero, ¿usted aquí también?

FRANCISCO. Muy buenas, señor Rector.

FINA. Ha sido nuestra conquista más difícil. En el fondo, parece ser que se había encariñado con nosotros. Pero no se mueve demasiado, no.

FRANCISCO. No es tan fácil cargar esta leña. Está muy verde.

5 FINA. La del pinar está seca.

FRANCISCO. Pero muy arriba. Ya sabe usted que a mí las cuestas . . .

FINA. ¿Y la del soto?

FRANCISCO. Muy lejos. Y hay que pasar el río. Ya sabe usted
10 que a mí la humedad . . .

FINA. ¿Quiere usted que plantemos los árboles en la leñera? No, Francisco, un poco de seriedad. Usted se ha comprometido libremente a partir ocho cargas diarias. Mire por dónde va el sol y no ha traído más que cuatro.

15 FRANCISCO. ¿Cuatro nada más?

FINA. (*Mostrando su block.*) Cuatro.

FRANCISCO. Es que no sé qué me pasa hoy. No he dormido bien.

FINA. ¿Y ayer?

20 FRANCISCO. Ayer era mi cumpleaños.

FINA. ¿Y antes de ayer?

FRANCISCO. ¿Antes de ayer . . . ? (*Renunciando a la controversia.*) Muy buenas, señor Rector. (*Sale rezongando filosófico.*) ¡Ah, la tiranía de los débiles! . . .

25 FINA. (*Al Rector.*) Es una gran persona este Francisco. Pero hay que atarlo corto; tiene toda la vagancia de quince años de autoridad.

XX

DICHOS Y MARGA, *que entra de la casa.*

FINA. ¿Adónde vas tú, Marga?

MARGA. Hago falta en el horno. Está Flora sola.

30 FINA. No, eso es muy duro para ti. Yo iré.

MARGA. Pero, mujer, ¿es que va a durar esto siempre? Déjame. Me da pena sentirme tan inútil . . .

FINA. Inútil, dice, Don Santiago . . . ¡Y es la madre!

DON SANTIAGO. ¿Qué tal ese pequeño, Marga? Todos me cuentan maravillas.

MARGA. Está dormido. 5

FINA. ¡Va a ser más fuerte! ¡Duerme con los puños cerrados! ¡Así!

DON SANTIAGO. Y tú, ¿eres feliz? Aquella fiebre de andar y andar. 10

MARGA. Ya pasó. Ahora no hay ninguna voz que me llame fuera de casa. ¡Estaba tan cansada! Me parece que lo que yo buscaba, sin saberlo, por todos los caminos, no era más que esto: un hijo donde recostarme . . . Ya lo tengo. (*Sale.*)

NATACHA Y DON SANTIAGO.

NATACHA. (*Que aparece en la puerta al mutis de Marga.*) Ve 15 con ella, Fina. (*Sale Fina.*) ¿Qué tal, tío Santiago?

DON SANTIAGO. Que estoy empezando a ruborizarme, hija. Esto parece una colmena; nadie está vacío ni quieto . . . ¿Puedo yo hacer algo?

NATACHA. ¿Le parece que ha hecho poco? Conseguir que nos 20 dejaran trabajar en paz.

DON SANTIAGO. No fué empresa fácil, no. Con toda mi autoridad moral, con todo tu prestigio . . . Realmente aquel plante del Reformatorio fué un golpe de audacia. Yo no me hubiera atrevido a defenderlo en nadie. Pero eras tú . . . 25

NATACHA. Éramos la razón y yo.

DON SANTIAGO. Sí, también la razón un poco. En fin, lo cierto es que ya está hecho, y que vuestra colonia tiene una vida perfectamente legal.

NATACHA. Gracias a usted. 30

DON SANTIAGO. Y a los abogados.

NATACHA. Oh, los abogados son admirables. Nunca dudé de

ellos; estaba segura de que lo mismo hubieran arreglado esto que lo contrario. (*Vuelve Francisco con su carretilla vacía.*)

NATACHA, DON SANTIAGO Y FRANCISCO.

FRANCISCO. Señorita Natacha . . .

NATACHA. ¿Qué hay, Francisco?

5 FRANCISCO. Tengo cincuenta y ocho años. No soy tan fuerte como esos muchachos, pero hago todo lo que puedo. He cortado leña, he trabajado en la arada y en la siega; nunca me he levantado depués que los otros . . .

NATACHA. Pero, ¿a qué viene todo eso ahora?

10 FRANCISCO. Es mi hoja de servicios. ¿Está usted contenta de mí?

NATACHA. ¿Cómo no voy a estarlo? ¿Por qué lo pregunta?

FRANCISCO. Es que . . . quisiera pedirle un favor. Es una cosa grave, ya lo sé. ¡Pero es por un día nada más!

15 NATACHA. Diga, diga.

FRANCISCO. Si a usted no le parece muy mal . . . por un día nada más . . . ¡me gustaría tanto volver a ponerme el uniforme!

NATACHA. ¿Pero, se lo ha traído usted?

20 FRANCISCO. Lo tengo en el baúl . . . lo saco algunas noches para mirarlo . . . ¡Son quince años de mi vida!

NATACHA. ¿Y sufre usted por tan poca cosa? Pues no sufra más, Francisco. Póngaselo si quiere.

FRANCISCO. Gracias, señorita Natacha. (*Deja su carretilla.*)

25 Un día nada más, se lo prometo. Gracias. (*Sale, erguido de pronto a la querencia del uniforme.*)

NATACHA Y DON SANTIAGO.

NATACHA. Cada uno tiene su pequeño problema.

DON SANTIAGO. (*Reflexivo, después de una pausa.*) ¿Y tú . . . ?

30 NATACHA. Yo . . . también.

Don Santiago. Pero el tuyo no es pequeño. Es toda tu vida
lo que te estás jugando aquí. Hasta ahora has tenido para vencer el esfuerzo y la presencia de estos estudiantes, y esa alegría
generosa que no conoce la fatiga. Pero esto termina hoy. ¿Qué
será de ti mañana?

Natacha. Seguiré sola mi obra.

Don Santiago. ¿Y a dónde vas con tu obra? ¿Qué alcance
quieres dar a todo esto? Yo soy ya viejo; perdóname si pongo
un poco de hielo en tu entusiasmo. Pero esta granja de trabajo
comunal . . . ¿No estás tratando de resucitar, sin darte cuenta,
un sueño fracasado del socialismo romántico?

Natacha. Oh, no. No se trata aquí de sueños ni de fórmulas
universales. Esta colonia no es más que un hecho feliz. Todo
lo humilde, todo lo pequeño que usted quiera. Pero . . . una
flor vale más que una lección de botánica.

Don Santiago. ¿Y toda tu vida va a ser esto? ¿Trabajar para
los demás, buscar la felicidad de los demás? ¿Es que la tuya
no tiene los mismos derechos que las otras?

Natacha. Yo soy feliz aquí.

Don Santiago. Pero, ¿lo serás mañana? No quieras enga-
ñarte a ti misma. Dime, Natacha: hoy termina el año que tus
compañeros te entregaron generosamente. La vida los llama a
sus estudios y a sus casas. Antes que caiga la tarde, se habrán
ido todos. Lalo, también. ¿No es nada Lalo para ti?

Natacha. Demasiado. Ojalá no fuera tanto.

Don Santiago. Ese muchacho te quiere de verdad.

Natacha. Lo sé; y esa es mi angustia. Porque yo también le
quiero, tío Santiago. Aquí le he conocido bien: un alma siempre abierta; el primero en la alegría, el primero en el trabajo.
Un hombre. Lalo no tenía más que el gran pecado de nuestra
generación: pensar que el corazón no es elegante, y tratar de
esconderle siempre. ¡Y cuánta fecundidad posible, cuánta nobleza humana se nos ha ahogado a todos ahí debajo!

Don Santiago. Y queriéndole así ¿le vas a dejar marchar?

NATACHA. Mi deber está aquí.

DON SANTIAGO. ¿Pero con qué fuerzas, con qué alegría lo cumplirás? ¿Qué quieren decir ya esas lágrimas?

NATACHA. (*Sobreponiéndose.*) No quieren decir nada. Mi obra está por encima de mis lágrimas. Recuerdo una anécdota de la Gran Guerra, que me ha hecho meditar muchas veces. Era un general revisando las trincheras. En un puesto de peligro estaba un pobre capitán, con aire de buen padre de familia; estaba pálido, temblando de pies a cabeza. El Jefe se le encaró burlonamente: —¿Qué? Parece que hay miedo . . . —Sí, mi general, mucho miedo . . . ¡pero estoy en mi puesto! Y yo pienso, tío Santiago, que el único valor estimable es éste; no el de los héroes brillantes, sino el de tantos humildes que luchan y trabajan en las últimas filas humanas, que no esperan la gloria, que sufren el miedo y el dolor de cada día . . . ¡Pero están en su puesto!

DON SANTIAGO. (*Conmovido. Estrechándole las manos.*) ¡Mi Natacha! . . .

XXI

Entra Mario. Va directamente a su mesa de trabajo.

MARIO. Muy buenas, Don Santiago.

DON SANTIAGO. ¿Qué dice nuestro joven sabio? ¿A trabajar en su tesis?

MARIO. Siempre. Ahora estoy de enhorabuena. ¡Tengo dos escorpios rubios, en celo!

NATACHA. Mario es el único que no nos abandona. Me ha prometido terminar aquí su trabajo.

DON SANTIAGO. ¡Ah! ¿Usted se queda?

MARIO. ¿A dónde voy a ir que esté mejor para mis cosas?

DON SANTIAGO. ¿Y Flora? . . .

NATACHA. (*Le impone silencio discretamente.*) Chist . . .

*Mario, lupa en mano, se ha entregado a sus observaciones.
Entra Fina.*

FINA. ¡El pan, Natacha! Ya lo están sacando.

NATACHA. ¡Ya! . . . (*A Don Santiago.*) Es nuestro primer
pan. Ese trigo lo hemos sembrado nosotros, lo hemos molido
en nuestro molino y se ha cocido en nuestro horno. Venga,
tío Santiago. ¡Verá usted qué hondo sabe el pan cuando es verdaderamente nuestro! (*Sale con él.*)

FINA Y MARIO. *En seguida,* FRANCISCO.

FINA. (*Fijándose en la carretilla vacía.*) Y esta carretilla . . .
(*Llama, imperativa.*) ¡Francisco! . . . ¡Francisco! . . . (*Sale
de la casa Francisco con su gran uniforme.*)

FRANCISCO. Muy buenas, señorita López. ¿Llamaba usted?

FINA. (*Impresionada, baja la voz.*) ¡Don Francisco! . . .

FRANCISCO. Exactamente: don Francisco. ¿Y sabe usted lo
que ha pensado don Francisco, señorita López? Que esas cuatro cargas que faltan hoy, las va a traer usted. ¿Qué le parece?

FINA. Voy . . . voy . . . (*Sale delante con la carretilla.*)

FRANCISCO. (*Acariciándose el uniforme.*) Un día nada más
. . . Pero ¡qué fuerza se tiene desde aquí dentro! Ay . . .

*Sale, con un largo suspiro. Pausa. Mario sigue embebido en
su trabajo. Llega Lalo, cantando entre dientes. Trae un rollo
de cuerdas, hitos y una cadena de agrimensor, que deja en el
rincón.*

LALO Y MARIO.

LALO (*Por Mario*):

Vió en una huerta
dos lagartijas
cierto curioso
naturalista.

(*Mario no se da por enterado.*) De otro modo:
>   Cierto curioso
>   naturalista
>   vió en una huerta
5   dos lagartijas.

¡Eh, cefalópodo!

MARIO. ¡Chist! . . .

LALO. (*Baja la voz.*) ¿Qué pasa?

MARIO. ¡Son dos escorpios rubios!

10   LALO. ¡Ah! . . . ¿Enamorados?

MARIO. Están en los preliminares del rito nupcial.

LALO. Muy bonito. Y tú ahí, teniéndoles la cesta.

MARIO. Es la ceremonia más curiosa que se puede imaginar. Primero la hembra, que es la más oscura, coge al macho del 15 brazo. Después . . .

LALO. No, Mario; cuentos verdes, no.

MARIO. (*Cortado.*) ¡Cuentos verdes! Sí, claro, lo de siempre. ¡Qué poco generoso eres conmigo! Yo he aceptado todas tus convicciones: he aprendido a cultivar la tierra, sé cazar y 20 fabricar cestos de mimbre, que nunca me servirán para nada. Tú, en cambio, no te has dignado jamás interesarte media hora por mis cosas.

LALO. En eso te equivocas. No tengo una gran preparación; pero, dentro de mi modestia, he hecho cuanto he podido por 25 tu ciencia. Le estoy dando lecciones a Fina.

MARIO. ¡Tú! ¿De Historia Natural?

LALO. De Historia Natural en relación con la Medicina. Ahora estamos con eso de: "este grillo que no canta—algo tiene en la garganta."

30   MARIO. ¡Pero, Lalo, si los grillos no cantan con la garganta! Cantan con las alas.

LALO. ¿Ah, con las alas? Demonio . . . Entonces esa pobre chica ha perdido el curso.

MARIO. (*Volviendo a sus insectos.*) Nunca harás nada serio en la vida.

LALO. (*Después de una pausa reflexiva, con voz profunda.*) Y lo peor de todo es que tienes razón; nunca haré nada serio. (*Suena dentro un gong de hierro.*) ¡El gong! Llegó la hora de las despedidas. El mejor año de nuestra vida ha terminado. Y ahora . . . a empezar otra cosa. Dentro de poco, todos estaremos lejos, y separados.

MARIO. (*Sorprendido por el tono triste de Lalo.*) ¿Qué te pasa?

LALO. (*Reacciona.*) ¿A mí? Nada; a mí no me pasa nunca nada. Dichoso tú, Mario . . . Dichoso tú, que puedes ser feliz . . . atando moscas por el rabo.

Entra en la casa. Por la ventana del fondo se ven pasar, en alegres grupos, los estudiantes y trabajadores de la colonia. Llevan ramos verdes, espigas y útiles de labor. Van cantando a coro la canción de Atta Troll. Encarna, que pasa del brazo de un muchacho, se detiene mostrando en alto el pan.

ENCARNA. ¡El pan, Mario! ¡Nuestro pan!

MARIO. ¡Chist! . . .

ENCARNA. ¿Hay enfermos?

MARIO. Dos fieles enamorados.

ENCARNA. (*Tirándole una rosa.*) ¡Para la novia!

Ríe y sigue su camino. Pausa, mientras se les oye alejarse. Entra Flora.

MARIO Y FLORA.

FLORA. ¿Tú no vienes?

MARIO. Ahora, imposible.

FLORA. Ya. Los escorpios rubios.

MARIO. ¿Los has visto?

FLORA. (*Sin la menor ilusión.*) Sí, muy interesantes . . .
Dime, Mario, ¿es verdad que piensas quedarte?

MARIO. ¿Dónde mejor? Aquí toda la granja es un laboratorio
para mí.

5 FLORA. Pero yo creo que la vida puede ser algo más que
estudiar insectos. Hay el sol, y la risa, y el sabor del mar, y
los niños que juegan desnudos . . .

MARIO. (*En las nubes.*) Sí, desde luego . . . también hay
niños desnudos, claro . . . ¿por qué dices eso?

10 FLORA. Por nada. (*Pausa. Cantan dentro otra vez.*) Me pone
triste oír esa canción . . . ¿Recuerdas, cuando hacíamos la
Balada de Atta Troll? Tú eras allí un oso romántico; estabas
enamorado de mí furiosamente . . . ¿Te acuerdas?

MARIO. Me acuerdo, sí. El oso de Roncesvalles, y el lobo, y
15 el zorro . . . Era una bonita fábula de vertebrados. (*Pausa.*)

XXII

FLORA. Oye, Mario . . .

MARIO. ¿Qué?

FLORA. Hemos estudiado siempre juntos. Ahora hemos vivido aquí un año entero. ¡Un año inolvidable! Pero yo no
20 puedo quedar más tiempo. Tú, en cambio . . .

MARIO. Yo tengo que terminar mi tesis.

FLORA. Sí, claro, la tesis . . . ¿Tendrás tiempo para escribir
alguna vez? Hemos sido compañeros desde niños. Me gustaría
saber de ti.

25 MARIO. Chist . . . Mira. (*Indicando el interior de la caja.*)
¡Ya se han cogido del brazo! Es una ceremonia sorprendente.
Ah, querida: también la Historia Natural tiene sus anécdotas.
¿Ves aquella tierra? Allí han construído primero la cámara
nupcial. Ahora harán la ronda de esponsales alrededor, horas
30 y horas, cogidos de las manos. Después, pasarán al camarín y
allí se estarán quietos, frente contra frente, hasta el alba. Y por
último, al amanecer . . . la hembra se come al macho.

Flora. Muy bonito final.

Mario. Es curioso observar esto: en los animales rudimentarios, la hembra es siempre la más fuerte y la que toma la iniciativa amorosa. El macho es un simple elemento pasivo. ¡Míralos ahora!

Flora. Déjame. No me interesan los insectos.

Mario. ¿No?

Flora. No me han interesado nunca. Además, me dan asco. Y la culpa la tienes tú.

Mario. ¡Flora!

Flora. (*Señalando uno sobre la mesa.*) ¿Tú crees que un escarabajo tan feo como éste merece la pena de perder en él toda una juventud?

Mario. (*Llevándoselo a las gafas.*) ¡Un escarabajo! Pero, ¿qué estás diciendo? ¡Si es la "locusta veridíssima" de Linneo!

Flora. (*Furiosa.*) ¡Es que no puedo más! La locusta veridíssima es un escarabajo repugnante. ¡Linneo era un monstruo! Y tú . . . tú . . . (*Rompe a llorar nerviosamente.*) ¡Lo que tú estás haciendo conmigo es insultante!

Mario. (*Espantado.*) ¿Yo? . . . ¿Qué te hago yo?

Flora. ¿Pero es que no lo estás viendo? ¿Es posible que también tú seas un animal rudimentario? ¡Mario! (*En un impulso repentino se lanza a él y le estampa un beso en la boca.*) ¡Estúpido! (*Sale corriendo. Mario se atraganta, vacila, aturdido. Al fin arroja la "locusta veridíssima" y sale detrás a gritos.*)

Mario. ¡Flora! . . . ¡Flora! . . .

Natacha ha contemplado sonriente el final de la escena. Lalo entra por donde acaba de salir Mario. Mira sorprendido a Natacha.

NATACHA Y LALO.

Lalo. ¿Adónde va ese loco?

Natacha. ¡Hacia la vida!

LALO. ¿Hacia la vida? Pues con esas gafas y esa manera de correr, como se le ponga un árbol delante, no llega.

NATACHA. La que se le ha puesto delante es Flora.

LALO. Ah, ya . . .

5　NATACHA. ¡Otro que se nos va! (*Pausa.*)

LALO. Y tú . . . ¿cuándo?

NATACHA. Yo tengo que terminar aquí mi obra. Les he prometido a estos muchachos una vida libre, y lo cumpliré. Cuando puedan tenerla, cuando esta granja sea suya, yo buscaré también mi camino.

LALO. ¿Y si esa vida libre la tuvieran ya?

NATACHA. ¿Qué quieres decir?

LALO. Tengo una cosa que entregarte como despedida. (*Saca un documento de su cartera.*) Es el acta de cesión a nombre de ellos. La granja es suya.

NATACHA. ¡No!

LALO. ¿Qué era para mí esta tierra? Una ruina abandonada. La doy a los que han sabido trabajarla.

NATACHA. Pero eso no puede ser. ¡No lo harás! ¿No ves que sería echarlo todo a rodar? Yo he venido aquí a hacer una obra de educación. No quieras reducirla a una obra de misericordia. Piénsalo bien, Lalo; un esfuerzo más, y ganarán por sí mismo lo que tú ibas a darles hecho. ¿Has visto la emoción que han sentido hoy al comer su pan? Nunca la habían sentido con el pan del Reformatorio. Dame. (*Toma el documento.*) Hagamos hombres libres, Lalo. Los hombres libres no toman nada ni por la fuerza, ni de limosna. ¡Que aprendan a conseguirlo todo por el trabajo! (*Rompe el documento.*)

LALO. Está bien, Natacha . . . está bien. Pero si ellos lo supieran, ¿les parecería lo mismo?

NATACHA. Hoy, quizás no; están empezando. Algún día me lo agradecerán.

LALO. Entonces . . . ¿hasta cuándo?

NATACHA. ¿Os vais ya? Despídeme de todos . . . yo no podría ahora. Y que no haya tristeza delante de los muchachos. Vosotros erais el alma . . . Que no sepan qué amargo va a ser el trabajo a partir de mañana.

LALO. ¿Y yo voy a dejarte así? ¡No, Natacha! Di una palabra y me quedo.

NATACHA. No puedo todavía. Espera. Vosotros tenéis vuestra vida lejos. Yo tengo aquí la mía.

LALO. ¿Tan poca cosa soy para ti?

NATACHA. Más de lo que piensas. ¿A qué vendría ocultarlo ahora? Aquí he aprendido a conocerte; aquí te he visto el alma hasta el fondo. Te he visto luchar como lucha un hombre delante de una mujer . . . Te quiero, Lalo.

LALO. ¡Natacha! . . .

NATACHA. Pero déjame terminar mi obra. Necesito todas mis fuerzas para ella. Estos muchachos irán encontrando su camino, y volarán libremente. Aquí quedará Marga. (*Marga, acompañada de Juan, pasa por la ventana del fondo.*) Mírala . . . Tampoco Marga quedará sola. Cuando esta granja sea suya, y para ese niño que ha nacido en ella, entonces seré yo la que vaya humildemente a tu puerta a preguntarte: ¿Me quieres todavía?

LALO. ¡Te esperaré siempre!

NATACHA. Gracias, Lalo . . . Hasta entonces . . . déjame . . .

LALO. Adiós, Natacha . . . Hasta entonces. (*Le besa las manos. Sale. Pausa. Entra Don Santiago.*)

NATACHA Y DON SANTIAGO.

DON SANTIAGO. Va a arrancar el automóvil. ¿No sales?

NATACHA. Lalo me despedirá de todos . . .

Entra Mario, con una emoción nerviosa.

MARIO. Perdóname . . . Te había prometido quedar . . . Pero yo entonces no sabía . . .

NATACHA. No tienes que decirme nada. Quiérela mucho, Mario. Es una gran muchacha.

MARIO. ¿Pero tú sabes? ¡Soy feliz! Te regalo los escorpios rubios. Vigílalos esta noche, y escríbeme lo que haya. ¡Don Santiago! . . . Adiós, Natacha . . . Soy feliz, feliz . . . (*Sale.*)

DON SANTIAGO. ¿También Mario se va?

NATACHA. También. ¿Usted? . . .

DON SANTIAGO. Yo no; ya lo saben. ¿No me necesitas ahora contigo?

NATACHA. (*Le estrecha las manos.*) Gracias. ¡Qué amargo es esto, tío Santiago! Sentir cómo el amor estalla a nuestro alrededor por todas partes, y cuando una vez nos llama, tener que responderle: espera, no he terminado todavía . . .

DON SANTIAGO. Lalo sabrá esperar. Lo recordaremos juntos . . . (*Se oye lejos, lenta y triste, la canción de los estudiantes.*) ¡Ya se van! (*Se asoman los dos y responden con un gesto de despedida. La voz de Lalo llega desde lejos.*)

VOZ DE LALO. ¡Natacha! . . . (*Ella, en una repentina crisis de llanto, se retira escondiendo el rostro entre las manos.*)

DON SANTIAGO. Natacha, hija . . .

NATACHA. No puedo . . . Creí que era más fuerte.

DON SANTIAGO. Pobre pequeña . . . estás temblando . . .

NATACHA. Temblando, tío Santiago. Con lágrimas y sin gloria . . . ¡Pero estoy en mi puesto!

TELÓN FINAL

NOTAS PARA LA BALADA DE ATTA TROLL

La terraza del fondo, de una anchura de dos metros, tendrá una altura de 60 centímetros, con tres escalones de 20.

El arco central, sólido, de un hueco aproximado de dos metros y medio, será en la Balada la embocadura del teatrillo, cerrándose esta pequeña escena con cortinas laterales, forillo de tela (para permitir una mutación rápida y silenciosa) y cortina delantera, que jugará como telón hacia los lados.

En este tabladillo no jugarán más personajes que el Oso, Mumma y el Húngaro, en el primer cuadro de la Balada, y el Oso solo en el segundo. De uno a otro cuadro, para dar tiempo a la mutación, se repetirá la música de títeres del comienzo, que termina con un largo redoble de tambor.

El Poeta dirá el prólogo desde los escalones, y el resto desde el escenario (a la derecha del público en el primer cuadro y a la izquierda en el segundo).

La huída del Oso, por el arco de la izquierda. Salida de Mumma, el Húngaro, Lobo y Zorro, por el arco de la derecha.

El arco de ballesta (sin flecha) llevará goma fuerte en vez de cuerda, para dar con el ruido la sensación del disparo.

Toda la Balada (juego escénico, figurines, actitudes y movimientos, recitación, forillos, etc.) tendrá un aire de ballet estilizado y fantasista, sin el menor asomo de realismo.

Natacha y los muchachos del Reformatorio presencian la Balada sentados en sus sillas, desde el centro del escenario hacia la izquierda.

Cuando el Oso recuerda la canción de Roncesvalles, la recita sin cantar. Y el estribillo lo cantan en voz baja, casi a boca cerrada, las educandas: como un eco.

La recitación de todos los papeles de la Balada (más acentuadamente en el Poeta) será francamente lírica, rápida y encendida. Triste y lenta en el momento final.

Canción de Mario

Canción de Atta Troll

Gaudeamus Estudiantil

Maestoso

Música de títeres

EXERCISES

I

A. Para cada palabra de la columna *a* escójase la palabra de la columna *b* que tiene un sentido contrario:

a.	*b.*
1. profesor	1. pequeño
2. altas	2. salir
3. blancas	3. terminar
4. grande	4. lejos
5. mañana	5. bajas
6. ir	6. enemigo
7. entrar	7. siempre
8. cerca	8. estudiante
9. empezar	9. ayer
10. nunca	10. preguntar
11. perder	11. todo
12. nada	12. volver
13. amigo	13. negras

B. Cámbiense de número los verbos de las frases siguientes, poniéndose en plural los de forma singular, y vice versa, haciéndose también los otros cambios necesarios:

1. Las ventanas estaban con cortinas blancas.
   (La ventana estaba con una(s) cortina(s) blanca(s))
2. La ventana era horizontal y baja.
3. ¿Quiénes estaban en escena?
4. Estas federaciones son profesionales.
5. ¿Sabes si ha vuelto?
6. El insecto estará en la caja.
7. Se le darán.

8. Se anuncia la sanción.
9. Nosotros mismos lo llevaremos.
10. ¿Habéis terminado?
11. ¿Qué voy a hacer?
12. Se dejaron arrastrar.
13. El enemigo sale ganando.
14. Sentiré que las cosas sean graves.
15. No sabemos qué empeño tienen esos bárbaros.
16. Sentaos y callad.
17. Me imaginé la escena.
18. ¿Qué iba yo a hacer?
19. Llegamos en un taxi.
20. Me acerqué a uno.
21. Cuando despertaron no estaban en casa.

C. Cuestionario:

1. ¿Cuál es la escena?
2. ¿Cómo es la decoración?
3. ¿Qué hay en las paredes?
4. ¿Quiénes están en escena?
5. ¿Qué está haciendo cada uno?
6. ¿Qué trae Flora?
7. ¿Qué promesa le da Aguilar?
8. ¿A quién escriben la protesta?
9. ¿Adónde se dejan arrastrar?
10. ¿Quiénes salen ganando con esto?
11. ¿Dónde estaba Lalo ayer?
12. ¿Qué le pasó?
13. ¿Qué clases están organizando los estudiantes?
14. ¿Dónde trae la venda?
15. ¿Por qué la trae?
16. ¿Quién le prepara una cura?
17. ¿Qué cosas tiene con que hacerla?
18. ¿De qué parte iba Lalo a ponerse en la revuelta?
19. ¿Cómo llegó a la revuelta?
20. ¿Cuándo sacó la porra el hombre desconocido?

D. Traducción:

a.

1. In the background.
2. As usual.
3. On my account.
4. It can't be *that* bad!
5. Yesterday's affair.
6. Workers' classes.
7. At once.
8. Carefully.
9. Half worker half student.
10. From a distance.

b.

1. Mario had not returned.
2. Will you please copy the letter?
3. The sanctions were announced.
4. He took it to the press.
5. They can't take on any more.
6. Our enemies win out.
7. His head was opened with a club.
8. They have just started the federation.
9. It is seriously concerned with scholarly problems.
10. The disturbance has no rime or reason.
11. They want to find out what he had inside.
12. I was called on the phone.
13. What was it about?
14. It isn't necessary to know that.
15. He went up to the man.

E. Temas escritos u orales:
1. La escena y los personajes.
2. "Los sucesos desarrollados ayer."
3. Las experiencias de Lalo.

II

A. Para cada palabra de la columna *a* escójase la palabra de la columna *b* que tiene un sentido contrario:

a.	*b.*
1. nada	1. seriedad
2. poco	2. viejo
3. broma	3. levantar
4. primero	4. inútil
5. joven	5. eso
6. otro	6. perder
7. útil	7. empezar
8. encontrar	8. algo
9. esto	9. rico
10. terminar	10. último
11. pobre	11. mismo
12. bajar	12. mucho

B. Cámbiense de persona los verbos de las frases siguientes, poniéndose en primera los de tercera persona, y vice versa, y haciéndose también los otros cambios necesarios:

1. Ha acabado de quitársela.
   (He acabado de quitársela.)
2. Le limpio bien.
3. No podríamos abrirlo.
4. Recogí las cosas.
5. Tiene que responder.
6. Se oyeron acusar.
7. No volverán a hacerte caso.
8. Nos tomamos las cosas con seriedad.
9. Tenemos razón.
10. Exageramos un poco.
11. Quiere su juventud.
12. Tienen la culpa.
13. No nos divierte la misma cosa.
14. Son unas bromas de Lalo.
15. Empezó a estudiar medicina.
16. No terminaré pronto.
17. No lo niega.
18. Aprendió carpintería.

19. Jura que sabría vivir solo.
20. A sus amigos les hace un desafío.
21. Les regalo mi finca.

C. Cuestionario:

1. ¿Quién le quita a Lalo la venda?
2. ¿Cómo le limpia?
3. ¿Para qué tiene una venda tan larga?
4. ¿Quién se va a llevar una desilusión?
5. ¿Cómo se les acusa a los estudiantes?
6. Somolinos no le hará a Lalo caso. ¿Por qué?
7. ¿Qué cosa fué más grave?
8. ¿Cuántas bajas se calculan?
9. ¿Por qué no puede haber una falta a clase?
10. ¿Por qué no basta estudiar?
11. Según Lalo, ¿por dónde ven el mundo sus amigos?
12. ¿Qué cosas les divierten?
13. ¿Para qué han servido tantos libros?
14. ¿Quién es agrónomo?
15. ¿Cuándo se siembran los guisantes?
16. ¿Cuántos años tiene Lalo?
17. ¿Cuándo empezó a estudiar medicina?
18. ¿Por qué no ha terminado?
19. ¿Qué lujo puede pagarse?
20. ¿Cómo ha pasado el tiempo?
21. ¿Qué isla desierta tiene?
22. ¿Quién hace un desafío? ¿Y a quiénes?
23. ¿Cuál es el desafío?
24. ¿Por qué no lo aceptan?

D. Traducción:

a.

1. Finally.
2. Let's see.
3. Listen! (Hey!)
4. Once.
5. As far as I am concerned.
6. Really.
7. In the morning.
8. Through the window.
9. Quickly.
10. At least.

11. Deeply.
12. Before (in front of).
13. On one hand.

14. A whole repertory.
15. On his own.
16. Something like (it).

b.

1. There's nothing the matter with it.
2. The little blonde is going to get a disappointment.
3. They accuse us of being agitators.
4. They don't pay any attention to me.
5. It's not my fault.
6. Yesterday's affair was not the most serious matter.
7. Among the failures is mine.
8. There can't be any students like Lalo.
9. Let (him) live! (He) must live!
10. They turn their backs on life.
11. The point is we have our tennis and our swimming pools.
12. Lalo is wealthy, and he likes that life.
13. He learned to make wicker baskets.
14. The best part is that he could live alone.

E. Temas escritos u orales:
  1. Lo útil y lo inútil.
  2. La carrera de Lalo.
  3. El desafío de Lalo.

III

A. Para cada verbo de la lista *a* escójase la palabra de la lista *b* que le cuadra, y empléese cada par en una oración:

a.	*b.*
1. cazar	1. cajita
2. esperar	2. memoria
3. tener	3. hora
4. entregar	4. periódico
5. mover	5. víctimas
6. pasar	6. loco

a.	*b.*
7. ir	7. mariposas
8. escribir	8. ver
9. darse	9. mano
10. estar	10. lejos
11. almacenar	11. doctorado
12. saber	12. sorpresa
13. ver	13. flores
14. alcanzar	14. cabeza
15. pagar	15. cuenta
16. estrechar	16. suerte

B. Sustitúyanse las palabras subrayadas por los debidos pronombres personales:

1. Le entrega *la cajita.*
   (Se la entrega.)
2. *Lalo* mira *al sabio.*
3. Mario es *un sabio.*
4. Dejó *los grifos* abiertos.
5. Tenía un diccionario en *la mano.*
6. Buscaba *palabras alemanas.*
7. No dudo *lo que dice.*
8. En cuanto a *sus animalejos,* los quiere mucho.
9. Está escribiendo *una Memoria.*
10. *Flora* está loca por *Mario.*
11. No nos hemos dado cuenta de *que Flora está loca por él.*
12. Le trae *insectos.*
13. Mire usted *el aguijón.*
14. Vamos a ver *la armadura.*
15. ¿Han visto ustedes *los periódicos?*
16. Hay que celebrar *el doctorado de Natacha.*
17. No haga usted *gesto de inteligencia.*

C. Cuestionario:
1. ¿Quién es Mario?
2. ¿Cómo son sus gafas?
3. ¿Qué le espera?

4. ¿De dónde viene?
5. ¿Adónde va cuando sale?
6. ¿Cuántos años tiene?
7. ¿Dónde buscaba una palabra alemana?
8. ¿Por qué la buscaba allí?
9. ¿Por qué no ha tenido una novia?
10. Pero, ¿quién está loca por él?
11. ¿Dónde tiene el bicho su veneno?
12. ¿Cómo son los machos?
13. ¿Qué trae Flora?
14. ¿De quién es el retrato?
15. ¿Por qué se publica?
16. ¿Cuándo van a celebrarlo?
17. ¿Quién pagará los gastos?
18. ¿Cuáles serán éstos?
19. ¿Adónde manda Lalo a Flora?

D. Traducción:

a.

1. Butterfly net.
2. Not at all.
3. The same old thing.
4. Apparently.
5. Right away.
6. On the other hand.
7. It's true.
8. What's the matter?
9. In that way.
10. My boy!
11. It's all the same.
12. Before (in front of).
13. The San Carlos affair.
14. On account of her doctorate.
15. Aside.

b.

1. Lalo hands him the box from Flora.
2. Pretty girls are not interested in Natural Sciences.
3. I am going to hunt crickets.
4. That's what I'm getting at.
5. He is probably not capable of seeing it.
6. He is crazy, but not about her.
7. She brings him bugs for his collection.

8. So this little bug is a marvelous specimen?
9. No one would say so, if he didn't see it.
10. She does this, so her children will have fresh meat.
11. The males are half as big.
12. They can't see tiny things.
13. I'll pay for whatever you want.
14. I think he's in the laboratory.

E. Temas escritos u orales:
1. El estudiante Mario.
2. Lo de Natacha.

IV

A. Háganse parejas de las palabras de la lista *a* con las de la lista *b,* y con cada pareja escríbase una oración:

a.	*b.*
1. alma	1. manantial
2. todos	2. homenaje
3. fracaso	3. espantoso
4. papel	4. grupo
5. hoja	5. ambulante
6. examen	6. poéticas
7. última	7. materiales
8. sencillez	8. salida
9. teatro	9. elegancia
10. tesis	10. enamorados
11. farsas	11. azules
12. primera	12. estudios
13. damas	13. asignatura
14. pequeño	14. víctima

B. Pónganse en tiempo presente todos los verbos subrayados:
1. *Ha sido* un triunfo.
2. Otra compañera se nos *fué.*
3. ¿*Pensará* usted en eso?

4. Nunca lo *había confesado* Lalo.
5. *Cumplió* su deber antes de que se nos *fuera*.
6. Me *auguró* mal éxito—*dijo* Aguilar.
7. *Era* muy seria; *estaba* entregada a su trabajo.
8. Aguilar no *creía* que le *divirtiera* eso.
9. Los tontos no *contaban*.
10. *Quería* que *naufragara* el barco.
11. *Estaban* seguros de que Lalo *hablaba* con el alma.
12. ¿Tu *viste* mi examen?
13. ¿Qué *iba* yo a hacer?
14. *Había* que cuidarla.
15. Se *defendió* bien.
16. No *comprenderéis* eso.
17. Ella *vestía* con sencillez.
18. *Rió* con cierta tristeza.
19. Se *ha unido* al grupo.
20. *Llevaremos* romances y canciones.
21. *Haremos* la primera salida.
22. No *ha dormido* bien.

C. Cuestionario:

1. ¿Cuál era el triunfo para el Club?
2. ¿Por qué dicen que Natacha es la mejor compañera?
3. ¿Qué piensa Lalo decirle a Natacha?
4. ¿Cuándo piensa hacerlo?
5. ¿Qué éxito le augura Aguilar? ¿Por qué?
6. ¿Qué es lo que demuestra la hoja de estudios de Lalo?
7. ¿Cómo miró a Lalo el profesor?
8. Y ¿cómo se defendió aquél?
9. ¿Cómo viste Natacha?
10. Y ¿cómo ríe?
11. ¿Quién es Don Santiago?
12. ¿Dónde conocieron los otros a Lalo?
13. ¿Para qué se unió al grupo?
14. ¿Dónde jura Lalo que estaba ayer?
15. ¿Por qué va despacio la tesis de Mario?

16. ¿Cómo va a descansar?
17. ¿Dónde irá el teatro trashumante?
18. ¿Cuándo se hará la primera salida?
19. ¿Qué es lo que sobrecoge a Natacha?

D. Traducción:

a.

1. At least.
2. Per month.
3. In short.
4. A year as a student.
5. Not so bad.
6. Look out for the wounded fellow.
7. With all my heart.
8. From town to town.
9. The best part.
10. This very summer.
11. A little "nerves."
12. Last night.
13. Right here.
14. Right away.

b.

1. She is leaving us.
2. They are all in love with her.
3. They were hoping that I would do my duty.
4. I shall decide before she goes away.
5. They don't think I'll fail.
6. She thinks only of her work.
7. I know how to bear the victim's rôle.
8. He got her to say "no" to him.
9. His last course had to be taken care of.
10. She dresses elegantly.
11. The grades aren't known yet.
12. Flora and Natacha embrace each other.
13. Lalo is surprised at Natacha's reaction.
14. She recovered and smiled.
15. How quickly that had left her!

E. Temas escritos u orales:
1. El romanticismo (según Lalo).
2. Natacha y sus compañeros.

V

A. Encuéntrese en la columna *b* la palabra que corresponde con sentido igual o parecido a cada una de la lista *a*.

a.	*b.*
1. reformatorio	1. joven
2. delito	2. interminable
3. niño	3. amigo
4. luego	4. falsedad
5. compañero	5. retener
6. oso	6. delincuencia
7. verdad	7. reja
8. hogar	8. disparate
9. estorbo	9. estudiante
10. inacabable	10. también
11. alumno	11. después
12. fábula	12. plantígrado
13. además	13. cárcel
14. recordar	14. casa

B. Pónganse en tiempo pretérito los verbos subrayados:

1. Ella se *sienta* pensativa.
2. Él *acude* a su lado.
3. *Han salido* todos.
4. *Ha sido* un mal recuerdo.
5. No *podía* sospechar.
6. Lo *hago* por eso.
7. *Convierten* en cárceles los hogares.
8. Allí *van* a enterrarse.
9. No *puedo* olvidarlo.
10. ¿Qué se le *ocurre*?
11. Se lo *pagaré*.
12. *Entran* Mario y Lalo.
13. *Canta* una canción triste.
14. También *tengo* una.

15. Me la *enseñan* en la Sierra.
16. Se *burlaba* de mi amor.
17. Mario se *detiene*.
18. Lalo *ríe* de nuevo.

C. Cuestionario:
1. ¿Quién habla con Natacha?
2. ¿Cómo le llama ella?
3. ¿Por qué está pensativa?
4. ¿En qué pensaba mientras escribía su tesis?
5. ¿Adónde van los pequeños delincuentes?
6. ¿Por qué es triste un reformatorio?
7. ¿Por qué habían encerrado allí a Natacha?
8. ¿Cuántos años tenía ella entonces?
9. ¿Con quiénes la mezclaban?
10. ¿Cuál era el régimen?
11. ¿Hasta cuándo se quedó allí?
12. ¿Cómo había vivido don Santiago?
13. ¿Por qué no le debe nada Natacha?
14. Pero, ¿qué le pide él a ella?
15. Y en cuanto a don Santiago, ¿cómo le consideran los estudiantes?
16. ¿Qué está componiendo Lalo para el teatro?
17. ¿Por qué le parece a Mario un disparate?
18. ¿Dónde aprendió Mario su canción popular?
19. ¿Cómo canta?
20. ¿Qué le parece a Lalo?

D. Traducción:

a.

1. Not even.
2. After all.
3. For that reason.
4. Forever.
5. Until then.
6. Perhaps.
7. See you later.
8. For Heaven's sake.
9. Go ahead.
10. Let's have it.
11. Like this.
12. That's why . . .

b.

1. He knows it pains her to recall it.
2. She is thinking about it again.
3. Those years were never erased from her imagination.
4. She couldn't get used to the reformatory.
5. Being alone was her crime.
6. Their idea was wrong but sincere.
7. They subdued her for three years.
8. She wants to repay him.
9. He asks her not to fly very far away from him.
10. D. Santiago looks like a student.
11. Mario doesn't like fables from the scientific viewpoint.
12. If it weren't for Mario, Lalo would lack a song.
13. Lalo laughs heartily.
14. Mario sang a song that he had learned as a youngster.

E. Temas escritos u orales:
1. Natacha y las Damas Azules.
2. Natacha y Don Santiago.
3. La obra teatral de Lalo.
4. La canción de Mario.

VI

A. Estudio de palabras.

Some Spanish words, although they have quite a different pro-
nunciation, are spelled exactly like English words and have the
same meaning. *Idea* and *normal* in this section are examples.
Many other Spanish words differ from their English meanings
only in their endings. Tempertur*a*, prepar*ar*, defect*o*, infan*cia* are
typical of the more than forty such words in the text for this
exercise. Words that match in this way are called COGNATES because they are related like members of a family.

Make a list of the Spanish words in this section with their
English cognates. How many identical cognates do you find? How
many with differences only in the endings? What other differ-

ences do you find in other Spanish words that resemble their English meanings?

B. Sustitúyanse las palabras subrayadas por los pronombres personales correspondientes:
1. *Lalo* corta *su canción*.
   (Él la corta.)
2. No sabe buscar *el rodeo*.
3. Natacha mira fijamente *a Lalo*.
4. Siente el deber de hacer *el amor a sus compañeras*.
5. Me ha preparado *esta escena*.
6. Es inteligente a pesar de *los libros de texto*.
7. No trata de ocultarle *sus defectos*.
8. Lee *la cartulina*.
9. No ha tenido enfermedad fuera de *la infancia*.
10. Juré no aprender jamás *ese idioma*.
11. Podía haberse ahorrado *ese dato*.
12. Está buscando *otro frente*.
13. En *el aspecto físico,* no está mal.
14. No me gusta *esa tristeza*.
15. Soy *profesor de optimismo*.
16. Vaya a buscar *a los pobres*.

C. Cuestionario:
1. ¿Qué tiene Lalo que decirle a Natacha?
2. ¿Cuántos grados de temperatura hace?
3. ¿Por qué esperaba Natacha la declaración de Lalo?
4. ¿Cómo es Lalo, según Natacha?
5. ¿Por qué le pregunta Lalo luego si quiere conocerle?
6. ¿Qué le promete a ella?
7. ¿Cuáles son los primeros datos que Lalo le da?
8. ¿Cuánto pesa?
9. ¿De qué es campeón?
10. ¿Por qué es en Lalo una virtud no hablar alemán?
11. ¿Por qué no le gusta a Natacha el romanticismo?
12. ¿Cuál es una idea de la Revolución francesa?
13. ¿Qué cosas sabe hacer Lalo?

14. ¿De quién está Lalo enamorado?
15. ¿Qué revelación le hace Natacha?
16. ¿Por qué debiera renunciar a su carrera?
17. ¿Dónde encontrará a los trabajadores que se mueren de tristeza?
18. ¿Cuándo será el mejor amigo de Natacha?

D. Traducción:

a.

1. At least.
2. That's that.
3. Like that (that way).
4. Quickly.
5. Above all.
6. In spite of the book.
7. On your part.
8. At any rate.
9. Entirely.
10. As regards love.
11. Not at all.
12. The social (side).
13. Aside.
14. First of all.
15. On the other hand.

b.

1. If that's the case, will you sit down?
2. Any piece of nonsense can be expected from Lalo.
3. She didn't pay much attention to him.
4. But, deep down, that's what he hoped.
5. She lets him begin again.
6. He went too far before.
7. He promises not to hide his defects from her.
8. His sweetheart was pretty but very silly.
9. Natacha doesn't like to live on a desert island.
10. Lalo knows how to do so many things!
11. She doesn't feel love for him either.
12. He is going to learn to play the guitar.

E. Temas escritos u orales:
1. Lalo, romántico.
2. Lalo, profesor de optimismo.
3. Natacha, buena amiga.

VII

A. Estudio de palabras.

Again, in this section, there are well over forty cognates. Among the regular cognate endings in the last lesson, you doubtless noted: 1) Spanish *-ción* (*dirección*) = English -tion (direction), and 2) Spanish *-dad* (*curiosidad*) = English -ty (curiosity).

Double l (*ll*) and double r (*rr*) are single letters in the Spanish alphabet and have different pronunciations from the single l and single r. Except for these, Spanish consonants are rarely doubled unless to represent two different sounds (*cc* in *dirección*). Hence, as you might expect, there are many Spanish cognates of English words that differ only in having a single written consonant (*profesor*) where English has a double. This difference of the single consonant is often found together with a difference in ending (*necesario* = necessary; *inteligente* = intelligent).

Make a list of the Spanish-English cognates in this section, noting especially the difference just discussed.

Other regular differences from their English cognates may be seen in the Spanish words *alfabeto* and *Ulises*. What are the differences? Do you find any other words with these differences?

B. Pónganse en negativa las siguientes oraciones afirmativas y en afirmativa las negativas:

1. Perdone usted.
2. Hablemos de ella.
3. No me permita que me presente.
4. No lo señalemos con una flor.
5. ¡Qué hermosa luz de poniente! Mírela.
6. ¿Se la pongo?
7. Hay que evitar eso.
8. No se burle usted de su amor.
9. Descórchense las botellas.
10. Levántenla ustedes.
11. Tráiganoslo usted.
12. No le obliguen a subir.

C. Cuestionario:

1. ¿A quién le desborda la alegría?
2. ¿Cuál es su opinión de Natacha? ¿Cómo lo dice él?
3. ¿Quién entra?
4. ¿Dónde tiene la cartera?
5. ¿Cómo se le presenta Lalo? ¿Por qué?
6. ¿Cuál es la fecha?
7. ¿Dónde pone Lalo la flor?
8. ¿Qué le pasa a los ojos?
9. ¿Qué traen Flora, Rivera y Aguilar? ¿Por qué?
10. ¿Cuál es la buena noticia de D. Santiago?
11. ¿Cuándo zarpan?
12. ¿Quiénes harán el viaje?
13. ¿Adónde llegarán?
14. ¿Por quién brindan los estudiantes?
15. ¿Qué dice Natacha que es el mejor tesoro de la Universidad?
16. ¿Adónde tiene que subir Mario? ¿Para qué?
17. ¿Cómo llama el Mediterráneo? ¿Sabe usted por qué?
18. ¿Qué cosas trajeron a España los fenicios?
19. ¿Por qué se da el estornudo colectivo?
20. ¿Qué cantan los estudiantes al terminar la escena?

D. Traducción:

a.

1. Under his arm.
2. Perhaps.
3. At this time.
4. In the shade.
5. In heaps.
6. Immediately.
7. In fact.
8. Through the Mediterranean.
9. Within a week.
10. Finally.
11. Without expecting it.
12. On the outside.
13. He learned to speak.
14. In chorus.

b.

1. Lalo watches her go.
2. Allow me to introduce my friend.
3. Lalo put a flower in his (Sandoval's) buttonhole.

4. But you have just talked about Natacha.
5. And she keeps on refusing him.
6. He knows that she has opened his eyes.
7. That song must be avoided.
8. What's wrong with Lalo?
9. I have a piece of good news for you. Here it is.
10. It will be a two-months cruise.
11. Mario says he can't make a speech.
12. A collective sneeze is heard from the three groups.

E. Temas escritos u orales:
1. D. Félix Sandoval.
2. El viaje de estudios.
3. Los brindis.

VIII

A. Estudio de palabras:

As we have seen, a great many Spanish words have English cognates. Even more words have other Spanish words related to them. This is especially true of most nouns, verbs and adjectives. Often one word provides the base or the root from which the other words are formed.

Complete the groups of three below. The missing words appear in this section of the text.

Nombres	Verbos	Adjetivos
1. utilidad	utilizar	_____
2. risa	_____	risible
3. _____	alegrar	alegre
4. _____	abrazar	abrazante
5. enfermedad	enfermar	_____
6. respeto	_____	respetable
7. _____	doler	doloroso
8. estrechez	_____	estrecho
9. _____	estudiar	estudioso
10. respuesta	responder	_____

Nombres	Verbos	Adjetivos
11. bebida	————	bebedor
12. tristeza	entristecer	
13. servicio	————	servible
14. ————	triunfar	triunfante
15. facilidad	————	fácil
16. mejoramiento	mejorar	————

B. Póngase la forma correcta de los verbos cuyos infinitivos se encuentran subrayados entre paréntesis:

1. Se (*hacer*) el silencio.
2. (*Dar*)-me la nota.
3. Somolinos va (*repartir*)-las.
4. (*Haber*) muchos abrazos.
5. El estudiante (*denegar*) con la cabeza.
6. Sandoval (*volver*) a la escena.
7. Le quita la flor sin (*deshojar*)-la.
8. Hace un momento Lalo (*ser*) estudiante.
9. (*Cerrar*) usted los ojos.
10. Quisieran que Natacha les (*ayudar*).
11. Desde entonces se (*abrir*) un campo de juegos.
12. Se ofrecen las condiciones que ella (*poner*).
13. Le dan el tiempo que (*querer*) para reflexionar.
14. Yo (*pasar*) mañana a recogerla.
15. Van (*ser*) útiles al mundo.

C. Cuestionario:

1. ¿Dónde aparece Somolinos?
2. ¿Qué es lo que trae?
3. ¿Con qué palabras se las reparte?
4. ¿Por qué está triste Lalo?
5. ¿Cómo le tratan sus amigos?
6. ¿A quién le invita Lalo a sentarse?
7. ¿Por qué le estrecha la mano tan compasivamente?
8. ¿Cómo se titula la tesis de Natacha?
9. ¿Qué le ofrece Sandoval a Natacha?
10. ¿Por qué la quiere el Patronato?

11. ¿Por qué cree Natacha que no es posible?
12. ¿Qué mejoramientos se han hecho en el Reformatorio?
13. ¿Cuánto sueldo le ofrecen a Natacha?
14. ¿Cuánto pide ella?
15. ¿Cuál es la única cosa en que insiste Natacha?
16. ¿Cuándo empezará su vida nueva?
17. ¿Por qué puede reír ahora con los otros?
18. ¿Qué significa la última frase de Lalo?

D. Traducción:

a.

1. At the door.
2. Halt! (Stop!)
3. Congratulations.
4. Without believing his eyes.
5. At once.
6. That's the way!
7. First of all.
8. Reformatory for children.
9. Quickly.
10. As regards the reformatory.
11. Of course.
12. In short.
13. Scarcely.
14. Again.

b.

1. They all pile on.
2. There is bad news for Lalo.
3. Mine (*nota*) is a flunk, isn't it?
4. Mario put his finger to his lips.
5. On removing his flower he recognizes Sandoval.
6. A moment ago Lalo dropped into his seat.
7. He shook my hand.
8. Sit down and take this glass.
9. Yours is a full triumph.
10. They would like her to accept the management.
11. They offer her whatever salary she says.
12. She counts on that.
13. Now I *am* going to need your gaiety.
14. The important thing is to be useful.

E. Temas escritos u orales:

1. Las notas.
2. La dirección del Reformatorio.
3. Resumen del Acto Primero.

IX

A. Spanish cognates of English words that begin with s + consonant have a vowel (usually e) before the s. From previous sections you will recall: *es*tudiante—*s*tudent, *es*pléndido—*s*plendid, and others. This difference is often found together with one or more of the differences studied in sections VI and VII.

Make a list of the cognates of this kind you can find in this section. Do you know any others? Caution: not every Spanish word beginning with es + consonant has an English cognate.

B. Sustitúyanse las palabras subrayadas por los debidos pronombres personales, haciéndose los otros cambios que sean necesarios:

1. Se hace la reverencia luego *a la marquesa*.
2. Son *las educandas* las que empiezan.
3. La profesora mira *la mano*.
4. Allí está Fina levantando *la mano*.
5. La señorita Crespo da el ramo *a Fina*.
6. Quite usted el papel *al ramo*.
7. Ayudad *a vuestra Directora*.
8. La Marquesa le estrecha *la mano*.
9. Natacha lleva *las uñas* pintadas.
10. Están ensayando *una ceremonia*.
11. Hace *los movimientos* sin *el ramo*.
12. Aceptad *estas flores*.
13. Le da *el ramo*.
14. Hace *la indicación a Fina*.
15. Prometemos ayudar *a la Directora*.

C. Cuestionario:

1. ¿Dónde pasa la acción de este cuadro?

2. ¿Cómo es la terraza?
3. ¿Dónde está?
4. ¿Cuántos arcos hay?
5. ¿Para qué servirá el del centro? ¿Cuándo?
6. ¿Cuántos años tienen las educandas?
7. ¿De qué color son sus uniformes?
8. ¿A quién se le hará la reverencia?
9. ¿Cómo hace Encarna los movimientos?
10. ¿Cómo tiene las uñas?
11. ¿Para qué aparece el Conserje?
12. ¿A qué hay que quitarle el papel?
13. ¿Cuándo se dobla la rodilla?
14. ¿Quiénes ocupan este pabellón?
15. ¿Qué ademán le hace Fina a Natacha?
16. ¿Por qué no toma Fina la flor en seguida?
17. ¿A dónde vuelve ella?
18. ¿Qué le prometen a la marquesa las educandas?
19. ¿Qué cosas dicen de Natacha las educandas?

D. Traducción:

a.

1. In the background.
2. The one in the center.
3. Afterwards.
4. Several more pupils.
5. Not at all.
6. Not that way.
7. Let's see.
8. With great difficulty.
9. Again (3 ways).
10. Quickly.
11. In front.
12. At the last moment.
13. At full speed.
14. In chorus.
15. The older ones.
16. Welcome.
17. See you soon.
18. As far as the door.
19. Proudly.

b.

1. The blackboard is varnished a dull green.
2. The pupils wear sad dark uniforms.
3. They rehearse the ceremony.

4. They go forward without the bouquet.
5. They are the ones that began the laughter.
6. Their hands watered the flowers.
7. May they say what our words cannot express!
8. Well, it'll do.
9. She removed the paper from the bouquet.
10. Fina is very nervous.
11. They promise to help her.
12. She prevents them from bothering to accompany her.
13. They notice (*en*) that she has a gold tooth.
14. She paints her nails, too.

E. Temas orales o escritos:
   1. Descripción de la escena.
   2. El ensayo.
   3. La Marquesa en el Reformatorio.

X

A. Estudio de palabras:

For each of the ten verbs listed below, find in the text of this
section a noun closely related to it in form and meaning (example: for the verb *fugar,* the noun *fuga*). Do the reverse for the
list of nouns.

Verbs	*Nouns*
servir	cuidado
vacilar	oído
criar	mirada
besar	gusto
acompañar	pensamiento
deber	discusión
alegrar	felicitación
reflexionar	cuenta
castigar	permisión
imaginar	orden

B. Pónganse en tiempo pretérito los verbos subrayados:

1. No *contiene* su risa.
2. Ya *están* juntas las amigas.
3. La coneja *pare* siete crías.
4. ¿De qué te *viene* esa afición?
5. Yo *crío* a los más pequeños.
6. ¿Qué le *pasa* a Encarna?
7. *Empieza* a reírse.
8. Le *da* un beso.
9. Yo os *puedo* dar algo.
10. No nos *atrevemos* a pedirlo.
11. Las educandas *discuten* vivamente.
12. *Cumplo* mi deber.
13. La *felicito*.
14. *Parecen* muy buenas.
15. *Está* en la celda.
16. Lo *llaman* la celda de reflexión.
17. La *traen* los agentes.

C. Cuestionario:

1. ¿Por qué están las educandas tan serias y en fila?
2. ¿Cómo se llama la primera con quien habla Natacha?
3. ¿Qué le gustaría hacer?
4. ¿Cuántos hijos tiene la coneja al año?
5. ¿De qué le ha venido a Fina esa afición?
6. ¿A cuántos hermanos suyos crió Fina?
7. ¿Qué necesita hacer Encarna? ¿Por qué?
8. ¿Cómo está después de la larga carcajada?
9. ¿Quién está tan callada?
10. ¿Por qué está así, y con miedo y con la cabeza bajada?
11. ¿Dónde le da un beso Natacha?
12. ¿Cuál es el favor que Natacha les pide a las educandas? ¿Y por qué?
13. ¿Para qué entrega Natacha las flores a la señorita Crespo?
14. ¿Cómo discuten las educandas?
15. ¿Cuándo vino la señorita Crespo al reformatorio?
16. ¿Cuál es el favor que piden las educandas?

17. ¿A dónde van ellas después?
18. ¿Se van a suprimir las matemáticas en el reformatorio?
19. ¿Cuántas muchachas hay en el pabellón?
20. ¿Dónde está la señorita Viñal?
21. ¿Por qué está allí?
22. ¿Cuánto tiempo se quedan allí esos casos peligrosos?
23. ¿Cuándo se fugó la señorita Viñal?
24. ¿Por dónde se descolgó, y con qué?
25. ¿Por qué se tapa los ojos Natacha?

D. Traducción:

a.

1. In front of.
2. Let's see.
3. Breathless.
4. Finally.
5. Fearless.
6. On the other hand.
7. Very probably.
8. A moment, please.
9. O. K.
10. Meanwhile.
11. On the contrary.
12. Really.
13. Immediately.
14. Aimless(ly).
15. Less than a year.

b.

1. Her name is Josefina, but she is called Fina.
2. If she were free, she would like to take care of hens and rabbits.
3. That's the way it is said.
4. Something is wrong with Encarna.
5. Let's hear you laugh.
6. She kissed her on the forehead.
7. My heart tells me so.
8. They miss their parents and their brothers and sisters.
9. Miss Crespo has been there four years.
10. If one does one's duty, one is never to talk with one's companions.
11. It makes them afraid to go alone.
12. It is a question of the most dangerous case.

E. Temas orales o escritos:

  1. Natacha con Fina y/o Encarna y/o María.
  2. La srta. Crespo.
  3. El caso peligroso.

XI

A. Encuéntrese en el texto el adjetivo relacionado en forma y en sentido con cada una de las palabras siguientes:

felicidad	violencia
esquivez	imposibilidad
frescura	grandeza
utilizar	blanquear
espectáculo	limpiar
pobreza	renovar
entristecer	cansancio

B. Sustitúyanse los infinitivos subrayados por las formas correctas:

  1. Ahora *andar* suelta por el jardín.
  2. El césped estuvo así muchos años sin que ellas *atreverse* a tocarlo.
  3. Desde mañana la srta. Méndez *cuidar* el césped.
  4. Tengo este uniforme porque *ser* el Conserje.
  5. *Vestirse* usted más sencillamente.
  6. Que no me *tocar* ustedes.
  7. Dijo que se mordería las muñecas hasta que se *desangrar*.
  8. Mañana me *reír* de todos.
  9. No he *hacer* nada.
  10. Natacha dijo que *haber* de ser amigas.
  11. Prometió que esa celda no *volver* a abrirse.
  12. Me *recoger* el pelo cuando me lo ordenó.
  13. Si no *resultar* muy caro, podremos tener otros.
  14. Fina dijo que no *saber* cortar.
  15. Luego estaba *correr* a la pizarra.

C. Cuestionario:

  1. ¿Cómo entra el Conserje?

2. ¿Por qué está así?
3. ¿Qué pensaba Natacha?
4. ¿Quién cuidará el césped?
5. ¿Cómo es el uniforme del Conserje?
6. ¿Por qué no quiere vestirse de americana?
7. ¿Cuántos años lleva de Conserje?
8. ¿Cómo tiene Marga los ojos?
9. ¿Qué es lo que quiere hacer?
10. ¿Cuánto tiempo estuvo encerrada?
11. ¿Dónde irán ella y Natacha?
12. ¿Dónde ha escrito su nombre?
13. ¿Cuándo borrarán los nombres?
14. ¿Adónde tirarán la llave?
15. ¿Por qué no debe Marga apretar la boca?
16. Después de salida Marga, ¿para qué se vuelve Natacha?
17. ¿Qué tienen que hacer las educandas para tener otros uniformes?
18. ¿Dónde hacen grupo?
19. ¿Cuántos son tres metros por treinta?
20. Y ¿cuántas pesetas son a dos pesetas el metro?

D. Traducción:

a.

1. Inside.
2. Through the garden.
3. It's not bad.
4. On the other hand.
5. Her eyes swollen.
6. This very morning.
7. All over the walls.
8. Around the table.
9. At last!
10. Down with the professor.
11. Meanwhile.
12. Six times five.

b.

1. They have begun to touch the lawn.
2. They didn't know how happy she was.
3. From tomorrow she will have a useful job.
4. He has been warden for years.
5. She struggled to get loose.

6. She doesn't want anybody to see her.
7. Let them whip her.
8. She had been many hours between walls that you can touch with your hands.
9. You can't fly when you are locked up.
10. She doesn't like the cell.
11. It was never opened again.
12. How good it feels to look at the stars.
13. If they go for the cloth, they can have new dresses.
14. She doesn't know how to cut.
15. It's the way you see if they are new.

E. Temas orales o escritos:
1. El Conserje y sus preocupaciones.
2. Marga.
3. Vestidos nuevos.

XII

A. Estudio de palabras:
Study the Spanish-English cognates in this section. List up to five of each kind studied in Lessons VI, VII, IX.

B. Pónganse en negativa las siguientes oraciones afirmativas y en afirmativa las negativas:
1. Pídale usted permiso.
2. Tendré alguna hora libre mañana.
3. No la deja nunca sola.
4. No lo haga usted ahora.
5. Vuélvase usted, señor.
6. No me lo diga usted.
7. No nos dejes, Fina.
8. Vuelve a tus pollitos.
9. Había algún chico por allí.
10. Siempre se debe pegar a los chicos también.
11. No necesita pegar a nadie.
12. No se lo abra usted.

13. Que no se tenga nunca ocupado en ningún trabajo.
14. Interésese por sus cosas.

C. Cuestionario:

1. ¿Qué visten las educandas en este cuadro?
2. ¿Qué está llevando Fina?
3. ¿Para qué es?
4. ¿A quién ha pedido permiso?
5. ¿Qué le manda la señorita Crespo?
6. ¿Por qué no va la señorita a ver los pollitos?
7. ¿Dónde se arregla el pelo Encarna?
8. ¿Cuántos pollitos hay?
9. ¿Cómo salen Fina y Encarna?
10. ¿Por qué tendrá que marcharse el Conserje?
11. ¿Dónde se oyen gritos?
12. ¿De quién es el llanto?
13. ¿Cuál es su motivo?
14. ¿Por qué le da Juan la razón a Natacha?
15. ¿Por qué necesita pegar a alguien?
16. ¿Dónde hay tablas y tela metálica?
17. ¿Quién tiene cardenales?
18. ¿Por qué no está Natacha satisfecha con la señorita Crespo?

D. Traducción:

a.

1. Later.	8. How brave!
2. From this moment on.	9. Nearby.
3. Inside.	10. Inevitably.
4. Toward.	11. Of course.
5. Without hearing her.	12. Right now.
6. Each one.	13. That's why.
7. Womanly delicacy.	14. The only thing.

b.

1. The chicks came out of their shells this morning.
2. It made her suspicious to see the rice.

3. She put down the watering pot to fix her hair.
4. She doesn't dare turn to the warden.
5. What will become of *him*, if *she* insists.
6. They don't do anything but what they please.
7. Since things have been going this way, there has been no discipline.
8. She got in front of him.
9. He would have given me a push. . . .
10. You oughtn't to strike the boys either.
11. He doesn't know what's the matter with him.
12. She has just given her class.

E. Temas orales o escritos:
  1. Los pollitos y la disciplina.
  2. Juan y los pollitos.

XIII

A. Para cada verbo de la lista *a* escójase la palabra de la lista *b* que le cuadra, y empléese cada par en una oración:

a.	*b.*
1. tomar	1. historia
2. ser	2. muchacho
3. contemplar	3. compañeros
4. trabajar	4. iniciativa
5. quitarse	5. mastín
6. armar	6. santo
7. contar	7. pesadillas
8. toser	8. ficha
9. azuzar	9. escándalo
10. tener	10. Natacha
11. tardar	11. uniforme
12. recordar	12. conserje

B. Pónganse en tiempo presente todos los verbos subrayados:

1. No *discutió* a sus superiores.
2. Natacha *quería* que la señorita se *tranquilizara*.
3. Si usted les *oyera* reír, . . .
4. Así no se *podía* ser bueno.
5. Natacha le *dijo* que se *acercara*.
6. *Iban* a ver si se *entendían*.
7. *Rogaba* que le *contase* una historia.
8. *Había* un césped que no se *podía* tocar.
9. Se *puso* a bailar.
10. El mastín no *mordía*.
11. ¡Cuánto les *he echado* de menos!
12. Sus palabras *venían* a caer en Natacha.
13. ¿*Recordó* usted esa idea suya?
14. Yo *estaba* llena de dudas.

C. Cuestionario:

1. ¿Quiénes se toman la iniciativa en el reformatorio?
2. ¿Cómo están las clases?
3. ¿En qué trabajan?
4. ¿Qué quiere Natacha que haga la señorita Crespo?
5. ¿Cuándo vuelve el conserje?
6. ¿Por qué no quiere Francisco prescindir de su uniforme?
7. ¿De quién es la historia que Natacha le cuenta? Cuente usted la misma historia con sus propias palabras, no olvidándose el césped, el dragón, el baile a la luz de la luna y el mastín.
8. ¿Cuándo se quitará Francisco el uniforme?
9. ¿Cuánto tiempo hace que Natacha está separada de sus compañeros?
10. ¿A quién le pregunta por ellos?
11. ¿Con qué idea vuelve Lalo?
12. ¿Dónde lo ensayaron todo?
13. ¿Cuándo darán la primera fiesta?
14. ¿Por qué tiene Natacha dudas ahora?
15. ¿Qué quiere que vea su tío Santiago?

D. Traducción:

a.

1. A little bit.
2. For example.
3. Let's see.
4. Once.
5. On the grass.
6. Against her.
7. Of course.
8. On seeing it.
9. Forever.
10. Last year.
11. Toward him.
12. Inside.
13. At first.
14. Each day.

b.

1. What *will* come that way is moral reform.
2. She read her card to herself.
3. He doesn't pay any attention to her.
4. He acts like a dragon.
5. What has become of the mastiff?
6. She goes down at night barefoot.
7. He saw her begin to dance.
8. They expected to find her here.
9. They miss her.
10. There's nothing between us.
11. The student theater is running now.
12. They went to see them working in the shops.

E. Temas orales o escritos:
1. Diferencias entre la señorita Crespo y Natacha.
2. La cuestión del uniforme de Francisco.
3. Reunión de Natacha y D. Santiago.

XIV

A. Encuéntrese en el texto el nombre o el verbo relacionado en forma y en sentido con cada uno de los adjetivos siguientes:

viajante   escolar
trabajador   fuerte

mundial	oculto
tierno	sedoso
moribundo	doloroso
importante	caliente

B. Complétense las oraciones siguientes:

1. _____ un atlas sobre sus rodillas.
2. Juan _____ a su lado.
3. En una tarde Juan _____ dos cristales.
4. Todo el suelo _____ de arroz.
5. Las mujeres _____ sombrillas de colores.
6. Juan le _____ una mano con ternura.
7. _____ hablando de morirse.
8. Le _____ mareos ayer.
9. Desde hace tiempo le _____ las fuerzas.
10. Cogió flores y _____ andando con ellas.
11. El champán _____ en las narices y _____ reír.
12. Le _____ la cabeza, y todo le _____ vueltas.

C. Cuestionario:

1. ¿Dónde abre Marga el atlas?
2. ¿Qué hace allí sola?
3. ¿Dónde se arrodilla Juan?
4. ¿Por qué no sabe leer?
5. ¿Cuándo fué a la escuela?
6. ¿A quién se parece el hipopótamo?
7. ¿De qué está sembrado el suelo de la China?
8. ¿Cómo hablan los hombres del Japón?
9. ¿Cómo se acerca Juan al Conserje?
10. ¿Cómo tiene Marga las manos?
11. ¿Por qué no resiste las comidas?
12. ¿Desde cuándo se siente así?
13. ¿Por qué se había escapado del Reformatorio?
14. ¿Dónde vió a los hombres y a las mujeres?
15. ¿Qué estaban haciendo?
16. ¿Con quiénes iba Marga en el auto?
17. ¿Cuántos años tenía Marga?
18. ¿Dónde se despertó?

D. Traducción:

a.

1. Shirt sleeves.
2. To the right.
3. Behind.
4. Alone.
5. Outside.
6. Unimportant.

7. Every day.
8. Midnight.
9. For myself.
10. Careful.
11. Again.
12. Between her teeth.

b.

1. Everybody can read.
2. He must have been able to read as a little boy.
3. They laugh at the warden.
4. They notice he looks like a hippopotamus.
5. They almost never get sad.
6. How lovely she is!
7. Marga came to, when Natacha hastened to her.
8. They won't let her die.
9. She didn't say anything to Natacha because she thought it would go away.
10. She began to be afraid some time ago.
11. Go on picking flowers.
12. Her head ached, but she only wanted to laugh.

E. Temas orales o escritos:
1. Los viajes de Marga y Juan.
2. Los mareos de Marga.
3. La escapada.

XV

A. Para cada palabra de la columna *a* encuéntrese la palabra de la columna *b* que tiene un sentido contrario:

a.	*b.*
1. abrir	1. pequeño
2. detrás	2. traer

a.	*b.*
3. grande	3. realista
4. llevar	4. entrar
5. ir	5. algo
6. salir	6. cerrar
7. alguien	7. empezar
8. nada	8. delante
9. acabar	9. levantar
10. bajar	10. triste
11. estilizado	11. nadie
12. alegre	12. venir

B. Pónganse en tiempo futuro los verbos subrayados:

1. *Hay* preparativos.
2. *Queda* un espacio libre.
3. Ellos *van* colocando las sillas.
4. Natacha y la señorita *dirigen* la instalación.
5. Juan *hace* jugar la cortina.
6. En un carromato *venimos* cantando.
7. *Avisa* a todos, María.
8. ¿Qué voces *son* ésas?
9. ¿*Puedo* soltarlos aquí?
10. Me parece que *tardabais*.
11. ¿Quién no *da* dos cuartos?
12. *Muerde*, pero no *tiene* otro defecto.

C. Cuestionario:

1. ¿Cómo cambian la escena para el cuadro tercero?
2. ¿Cómo aparece el Conserje?
3. ¿Dónde colocan sillas?
4. ¿Quiénes traen el oso?
5. ¿Qué le aconseja el Conserje a la señorita Crespo?
6. ¿Cómo viene vestido Lalo?
7. ¿Por qué no debe reírse la señorita Crespo?
8. ¿A quién ve llegar Lalo?
9. ¿Cuándo pueden empezar la farsa?

10. ¿Qué es lo único que les pide Lalo a los muchachos?
11. ¿Cuál es el título de la farsa?
12. ¿Cuándo se ilumina la pérgola?
13. ¿Qué papel tiene Mario? ¿Y Flora? ¿Y los otros?
14. ¿Qué representa la escena?
15. ¿Cómo es Atta Troll?
16. ¿De qué instrumentos es la música?
17. ¿Por qué le gustan a Atta Troll las canciones tristes?

D. Traducción:

a.

1. Below.
2. The same thing.
3. Whenever you wish.
4. In a low voice.
5. Standing.
6. Aside.
7. Offstage.
8. Behind.
9. That's why.
10. The rest of the disguises.

b.

1. They have just placed chairs in front of the curtain.
2. They make the curtain work.
3. It's the students, who will enter in a little while.
4. He dresses like a sea captain.
5. It isn't funny to me.
6. The stage is ready.
7. Let anyone laugh that wants to.
8. The stage lights are put out.
9. Lalo played the part of the poet.
10. Mumma plays her tambourine in front of the curtain.
11. I'll give two cents to see him.
12. The girls come running in.

E. Temas orales o escritos:
1. Descríbase el escenario con su tabladillo.
2. Los personajes y la primera parte de la *Balada*.

XVI

A. Encuéntrense en el texto las palabras relacionadas en forma y sentido a las siguientes:

1. cercano
2. danzar
3. libertar
4. canción
5. importancia
6. muerto
7. recordar
8. atender
9. educación
10. inteligente
11. calor
12. nevar
13. mirar
14. miserable
15. arder

B. Sustitúyanse las palabras subrayadas por los pronombres personales correspondientes:

1. Rompe *el hierro,* Atta Troll.
2. Los hombres admiran *a Atta.*
3. Le gusta *su compañera.*
4. No digas *eso.*
5. Huye subiendo a *su cubil.*
6. Vuelve *el látigo* contra *Mumma.*
7. Atta ha conquistado *su libertad.*
8. Por detrás *del tabladillo* aparecen *los animales.*
9. Detengamos aquí *a los amigos.*
10. No hay *fórmulas.*
11. Haga usted *justicia.*
12. No intentéis *la cosa* de frente.
13. Puedo hacer *la cosa* a traición.
14. ¿Quién me golpea *esta sangre?*

C. Cuestionario:

1. ¿Quién es el rey de las montañas?
2. ¿Qué más es?
3. ¿Cuántas patas tiene Mumma?
4. ¿Por qué se niega Atta a bailar?
5. ¿Cómo huye?
6. ¿Cuándo se cierra la cortina?

7. ¿Adónde ha vuelto Atta?
8. ¿Cómo son sus oseznas?
9. ¿Cuáles son los instrumentos que suenan de nuevo?
10. ¿Dónde está sentado Atta?
11. ¿Para qué tienen los hombres su inteligencia, según Atta Troll?
12. ¿Por dónde aparecen el Húngaro, el Lobo y el Zorro?
13. ¿Qué lleva cada uno?
14. ¿Cómo van a conquistar a Atta?
15. ¿Por qué se levanta éste de pronto?
16. ¿Cómo lo mataron?

D. Traducción:

a.

1. From outside.
2. Among the pupils.
3. Like Roland's horn.
4. Anew.
5. Below.
6. Nearby.
7. The important part (thing).
8. By treachery.
9. From the front.
10. He himself.
11. Suddenly.
12. Louder.

b.

1. Speak up. Are you a faithful lover?
2. Let the dance go on.
3. He resisted the stick.
4. They pulled the chain.
5. Everybody will sit down quietly.
6. The drums sound behind the curtain.
7. Animals will rebel against men some day.
8. Even bears have rights.
9. He is more stupid than the wolf.
10. The fox was right.
11. Then they hid the bow.
12. If the Hungarian hadn't twisted her arms, Mumma wouldn't have shouted to Atta.

E. Proyectos:

1. Fórmense varios grupos de seis estudiantes cada uno, y represéntese *La Balada de Atta Troll* a competencia. Puede haber premios para las mejores representaciones, etc., etc.
2. Escríbase un ensayo que explique la acción y la idea de la *Balada*.
3. Estúdiese la "Introduction" para explicar otros puntos interesantes de esta farsa.

XVII

A. Para cada palabra de la lista *a* escójase la de la lista *b* que le conviene, y empléese cada par en una oración:

a.	*b.*
1. encender	1. fiesta
2. quitar	2. realidad
3. llevar	3. luz
4. presenciar	4. cocina
5. tender	5. razón
6. atraer	6. ducha
7. instalar	7. silla
8. lavar	8. muchacha
9. encargar	9. flor
10. conocer	10. mantel
11. tener	11. mano

B. En cada frase de las siguientes hay por lo menos una palabra cuya forma es incorrecta. Encuéntrense esas formas y corríjanse.

1. Se hacen el oscuro en el tabladilla.
2. Yo recojo las flores.
3. ¿Qué diré la marquesa?
4. Se llevamos las sillas.
5. Vió al oso junta a se.
6. Ella sienta ridícula el situación.
7. Compró el paragua roja.
8. Soy de hablarle sin repara.

9. Se ha suprimidos los platos.
10. Las muchachas se han encargadas del cocina.
11. Insistemos en pequeñas detalles.
12. Yo me atiene a la realidades.

C. Cuestionario:
1. ¿Dónde se encienden las luces?
2. ¿Cómo recoge Lalo las flores?
3. ¿Desde dónde saluda Atta Troll?
4. ¿Cómo llama Lalo a Marga?
5. ¿Con qué noticia vuelve el conserje?
6. ¿Por qué grita de espanto la marquesa?
7. Al ser presentado a la marquesa, ¿cómo saluda Mario?
8. ¿De qué no tenía noticias la marquesa?
9. ¿Qué es lo que le ruega a Sandoval?
10. ¿Por qué ha venido la marquesa?
11. ¿Dónde se han instalado duchas?
12. ¿Cuándo cambian los nuevos manteles?
13. ¿Desde cuándo se gasta menos en la cocina?
14. ¿Quiénes lavan los manteles?
15. ¿Dónde ve indisciplina la marquesa?
16. ¿En qué problema no puede ella transigir?

D. Traducción:

a.

1. Suddenly.
2. Near the marchioness.
3. Reservedly.
4. Up to the present.
5. Nevertheless.
6. Too far.
7. Daily.
8. In the long run.
9. Moreover.
10. Back.
11. After all.
12. Everywhere.

b.

1. The lights were lighted again.
2. She has seen the students' theater.
3. She introduces Mario to the marchioness.

4. It is not necessary for us to go to my office.
5. She asked him to stay.
6. We must speak to them of the details.
7. He has got used to the luxury of the shower bath.
8. The oilcloth covers were done away with.
9. You are probably doing them harm.
10. It isn't the shower bath that worries me.
11. It is not a question of money.
12. She has known the hardness of life for years.

E. Temas orales o escritos:
1. Llegada de la marquesa.
2. Crítica de la marquesa del régimen de Natacha en el Reformatorio.

XVIII

A. Encuéntrense en el texto los verbos, los adjetivos y los otros nombres relacionados en forma y sentido con los siguientes:

1. beso	7. convicción
2. impaciencia	8. dirección
3. lealtad	9. desmayo
4. recuerdo	10. grito
5. paso	11. posibilidad
6. pretensión	12. capacidad

B. Póngase en forma correcta de tiempo compuesto cada uno de los verbos subrayados entre paréntesis:
1. Hay quien (*sorprender*) a muchachos y muchachas besándose.
2. Dijo que (*ser*) leal a sus ideas.
3. Lamentaba que (*ser*) tan opuestas.
4. Nosotros (*seguir*) la escena con violencia interior.
5. A la marquesa le (*gustar*) encontrarlo.
6. Antes que se desmayó, (*entrar*) sin fuerzas.
7. Si ellos nos (*prestar*) la finca, esto no habría ocurrido.

C. Cuestionario:

1. ¿Por qué se siente herida la marquesa?
2. ¿A qué son leales ella y Natacha?
3. ¿Qué lamenta Natacha?
4. ¿Qué pasos no dará Natacha?
5. ¿Cómo toma la marquesa las palabras de Natacha?
6. ¿Cuándo quiere la marquesa hablar a las educandas?
7. ¿Por qué se desploma Marga?
8. ¿Quién la ayuda?
9. ¿Cuándo entraron los estudiantes?
10. ¿Por qué le tiemblan a Natacha las manos?
11. ¿Qué le pide ella a Lalo?
12. ¿Quién ayudará a crear la vida nueva?
13. ¿Adónde quiere la marquesa que se lleve a Marga?
14. ¿De quién es la vergüenza?
15. ¿Cómo recibe Marga la noticia?
16. ¿Qué homenaje le da Lalo?

D. Traducción:

a.

1. Worse evils.
2. As much as you.
3. A single step.
4. Without thinking.
5. As far as my contract is concerned.
6. At once.
7. With all my heart.
8. Forward.
9. Quickly.
10. Something.
11. Day by day.
12. At any cost.
13. Behind.
14. Standing.
15. In shouts.

b.

1. There is someone who sees the dangers.
2. I don't mean anything if you don't understand me.
3. I am sorry that your ideas and mine are so opposite.
4. She took charge of the reformatory.
5. She would have liked to speak to the pupils.
6. Nothing is the matter with me either.

7. She has won (over) these boys and girls.
8. They all give her a year of their life and their youth.
9. This must be avoided.
10. They are really beginning to get results.
11. It is necessary for Marga to know it.

E. Proyectos:
  1. Hágase un resumen del argumento [*plot*] del acto segundo.
  2. Hágase un estudio de alguno de los personajes de este acto.
  3. Prepárese un debate sobre las ideas educativas presentadas en el acto segundo.

XIX

A. Cuestionario:
  1. ¿Dónde es la escena del acto tercero?
  2. ¿Qué está haciendo Fina?
  3. ¿Cómo están vestidos los muchachos?
  4. ¿Dónde dejan sus herramientas?
  5. ¿Desde cuándo han trabajado?
  6. ¿Para qué servirá el flúido?
  7. ¿Qué sabrá Juan hacer?
  8. ¿Adónde van los muchachos ahora? ¿Y a qué?
  9. ¿Dónde habían trabajado? ¿Y para qué?
  10. ¿Qué ha visto D. Santiago en la granja?
  11. ¿Por qué está orgulloso?
  12. ¿Qué tienen las manos de Aguilar?
  13. ¿Por qué ya no pega Juan a sus compañeros?
  14. ¿Qué trabajo le gusta a María?
  15. ¿Quién le hizo el cesto?
  16. ¿Cómo entra Francisco?
  17. ¿De qué se queja?
  18. ¿Cuántas cargas de leña ha traído?
  19. ¿Y cuántas ha debido traer? ¿Por qué?
  20. ¿Cuáles son sus disculpas?

B. Traducción:

a.

1. In the background.
2. To the left.
3. Between the windows.
4. The rest.
5. From outside.
6. Since five o'clock.
7. This very night.
8. By autumn.
9. For sport's sake.
10. How goes it?
11. Everybody.
12. Quickly.
13. At bottom.
14. Far off.

b.

1. Fina wishes to measure the grain.
2. They wear work coveralls.
3. Leave them in the chest and sit down.
4. Juan now knows how to send light to the villages.
5. They have done all there was to do.
6. Then it was only work.
7. Don Santiago has gone over it all.
8. He is proud that so much has been done.
9. He shows me his calluses, saying, "Look at them."
10. They like the cool water. It makes them want to sing, and they work up an appetite.
11. Francisco doesn't like hills and dampness. He hasn't split the wood from the pine woods because it is green. And you've got to cross the river to get to that in the grove.

C. Proyectos:
1. Hágase un dibujo o un plan de la escena.
2. Descríbase la escena.
3. Explíquese el trabajo que se ha hecho y que se está haciendo.
4. Hágase un resumen de lo que pasa en el acto hasta la entrada de Marga.

XX

A. Cuestionario:
1. ¿Quién cree que hace falta en el horno?
2. ¿Por qué razón no es inútil?

3. ¿Cómo duerme el pequeño?
4. ¿Por qué ya no tiene Marga la fiebre de andar?
5. ¿Por qué le parece la granja a D. Santiago una colmena?
6. ¿Cuál fué la empresa difícil de D. Santiago?
7. ¿Qué vida tiene la colonia ahora?
8. ¿Cómo vuelve Francisco?
9. ¿Cuántos años tiene?
10. ¿Por qué presenta una hoja de servicios?
11. ¿Dónde tiene el uniforme?
12. ¿Cuándo lo saca? ¿Y para qué?
13. ¿Qué le dice Natacha?
14. ¿Qué hará Natacha sin los estudiantes?
15. ¿Por qué no es la granja un sueño socialista?
16. ¿Para quién trabaja Natacha?
17. ¿Cuándo se van los estudiantes?
18. ¿Cuál es la angustia de Natacha?
19. ¿Cuál era el pecado de Lalo?
20. Natacha va a dejar marchar a Lalo. ¿Por qué?
21. ¿Qué significa la anécdota del capitán y el general?

B. Traducción:

a.

1. Outside.
2. Without knowing it.
3. What (do you say)?
4. Really.
5. It's I.
6. Well, after all.
7. What's up?
8. Just a day.
9. Suddenly.
10. The others.
11. Below.
12. Above.

b.

1. She is needed at the oven.
2. It makes her feel bad not to go.
3. What she was looking for was her son.
4. He succeeded in their being left in peace.
5. They don't dare defend anybody.

6. I am sure it seems as legal as not.
7. He asked her a favor.
8. He wants to put on his uniform again.
9. What has become of Natacha?
10. They don't realize we are trying to work.
11. We are happy now, but will we be tomorrow?
12. Night will fall before she lets Lalo go.
13. I wish he didn't love me.
14. He always tried to hide his heart.
15. The words of the captain mean that he was doing his duty.

C. Temas orales o escritos.
1. La Marga nueva.
2. El Francisco nuevo.
3. La lucha entre el amor y el deber.

XXI

A. Cuestionario:
1. ¿En qué trabaja Mario?
2. ¿Por qué está de enhorabuena?
3. ¿Cuándo se va Mario?
4. ¿Por qué es de tanto interés el pan?
5. ¿En qué se fijó Fina?
6. Pero, ¿qué la impresiona más?
7. ¿Cómo salen los dos, Fina y Francisco?
8. ¿Cómo entra Lalo?
9. ¿Qué está observando Mario?
10. ¿Para qué le servirán los cestos que hizo?
11. Pero, ¿en qué se equivoca?
12. ¿A quién le da Lalo lecciones? ¿Y de qué?
13. ¿Cómo cantan los grillos?
14. ¿Dónde suena el gong?
15. ¿Qué le pasa a Lalo?
16. ¿Por qué está dichoso Mario?
17. ¿Cómo pasan los estudiantes y trabajadores?

18. ¿Por qué se queda Mario en la granja?
19. ¿Por qué está Flora sin la menor ilusión?
20. Al oír la canción, ¿de qué se acuerdan Flora y Mario?

B. Traducción:

a.

1. Exactly.
2. Just one day.
3. Inside.
4. Between his teeth.
5. In another way.
6. Of course.
7. The same old thing.
8. It's no good.
9. Within.
10. Offstage.
11. In a little while.
12. Through the window.
13. In chorus.
14. Hopeless(ly).
15. Doubtless.

b.

1. He promised her not to leave them.
2. Our first bread they are now taking out of the oven.
3. They noticed the empty wheelbarrow.
4. You are four loads short.
5. I was still absorbed in my work.
6. We didn't let on we knew.
7. You can't imagine smuttier stories.
8. He knows how to be interested in Mario's things.
9. He learned to do all he could.
10. They'll flunk the course, because they don't do anything serious.
11. He said sadly that now they would begin something else.
12. It made her sad to recall Atta Troll.

C. Temas orales o escritos:
1. Mario y los escorpios.
2. Mario y Lalo.
3. Mario y Flora.
4. Mario y la vida.

XXII

A. Cuestionario:

1. ¿Cómo han estudiado Flora y Mario?
2. ¿Cuánto tiempo han vivido en la granja?
3. ¿Desde cuándo son compañeros?
4. ¿Por qué le pregunta Flora si tendrá tiempo para escribir?
5. ¿Dónde se encuentra la hembra más fuerte que el macho?
6. ¿De qué tiene Mario la culpa?
7. ¿Cómo termina la escena entre Flora y Mario?
8. ¿Cuándo se irá Natacha?
9. ¿Cuál es la generosidad de Lalo?
10. ¿Por qué no la acepta Natacha?
11. ¿Por qué le pide a Lalo que la despida de los otros?
12. ¿Por qué no le dice a Lalo que se quede?
13. ¿Cuándo irá Natacha a la puerta de él?
14. ¿Y qué promete Lalo?
15. ¿Por qué no cumple Mario lo prometido?
16. ¿Quién se queda con Natacha?
17. ¿Desde dónde llega una voz?
18. ¿De quién es?
19. ¿Qué efecto le hace a Natacha?

B. Traducción:

a.

1. On the other hand.
2. Of course.
3. Around.
4. Afterwards.
5. Forehead to forehead.
6. Finally.
7. Until dawn.
8. Besides.
9. Toward a tree.
10. By themselves.
11. Neither by force nor as alms.
12. Perhaps.
13. From tomorrow on.
14. Before a woman.
15. Everywhere.
16. Around us.
17. From afar.

b.

1. I would like to have time to write.
2. We'll take hold of one another's arm.
3. Scorpions eat up other insects.
4. It's his fault they make her sick.
5. This male beetle is uglier than the female.
6. She burst into weeping because she couldn't stand it any more.
7. It was possible that he didn't see it.
8. Mario had just gone out shouting after Flora.
9. Flora got in front of Mario.
10. If the boys and girls had a free life, Natacha would have fulfilled her duty.
11. It would not be a work of education, but of mercy.
12. Let them thank me for it when they accomplish it all.
13. He said her goodbyes to them all.
14. She saw him struggle more than he thought.
15. He asked her to write him whatever there was.
16. Lalo's voice was heard.

C. Proyectos:
1. Hágase un resumen del acto tercero.
2. Hágase un resumen muy corto del argumento de la comedia.
3. Búsquense en la "Introduction" los datos referentes a esta comedia.
4. Prepárese una crítica de la obra: (1) personajes, (2) argumento, (3) ideas, (4) sentimientos, (5) ambiente, (6) características dramáticas y técnicas.
5. Represéntense algunas escenas escogidas.

VOCABULARY

The vocabulary includes the words of the introduction as well as those of the text and exercises and is intended to be complete, except for the following systematic omissions: exact cognates, proper names of the characters, articles, personal pronouns, demonstrative and possessive adjectives and pronouns, contractions, feminine adjectives and nouns that differ from the masculine only by the substitution or addition of final -a, regular past participles if the infinitive is given and no special meaning is involved, and adverbs in -mente and adjectives in -ísimo if the basic word is given and no special meaning is involved. All verb irregularities and changes in the stem vowel and in the spelling of consonantal sounds are included. But mere duplication of an irregularity or variation is avoided; hence, for example, the irregular present subjunctive of tener appears in just one form (tenga) and the radical changing forms of querer are represented by a single entry (quiero). Person and number are indicated for such forms by a numbering from 1 to 6, as if the six forms of a tense formed a single series from the first person singular to the third person plural. Where the gender of nouns is not indicated, the nouns are masculine, except that those ending in -a, -ción, -dad, -tad, and -tud are feminine. The gender is given for all other feminine nouns and for the few masculine nouns ending in -a. Idiomatic phrases that contain a verb are usually entered under the verb, others under the principal word. A separate section of notes is eliminated as unnecessary. Although the vocabulary includes some lengthy entries which are substantially annotations to the text, their inclusion in a single alphabetical list with the vocabulary seems to have obvious advantages for student reference.

Abbreviations in the vocabulary:

b. = born	*m.* = masculine
cond. = conditional	*part.* = participle
f. = feminine	*pl.* = plural
fut. = future	*pres.* = present
imp. = imperative	*pret.* = preterite
imperf. = imperfect	*sing.* = singular
ind. = indicative	*subj.* = subjunctive
inf. = infinitive	

A .

a to; with, around; **a que no sois** I'll bet you're not . . . ; **¿a qué?** why? what for? to what purpose?

abajo below; **¡abajo!** Down with . . .

abalanzarse to throw oneself

abandonar to abandon, leave

abeto spruce tree

abierto *past part. of* **abrir**

abogado lawyer

abrazante embracing

abrazar to embrace

abrazo embrace

abrir to open

absoluto absolute

absolver (ue) to absolve

abstraído absent-minded

absuelvo *pres. ind. 1 of* **absolver**

abuelo grandfather

aburrido boring

acá here

acabar to end, finish; **acabar de** + *inf.* to have just; **acabáramos** eureka, at last, you don't tell me, is that a fact

acariciar to caress, stroke

acaso perhaps

acceso access

acción action

aceituna olive

acendrado stainless, purified

acentuado accented, emphasized

aceptar to accept

acercar to put near; **acercarse** to draw near, approach, go (come) near

acero steel

acerque *pres. subj. 1 and 3 of* **acercar**

acerqué *pret. 1 of* **acercar**

acoger to accept, receive

acompañar to accompany

acordar (ue) to agree; **acordarse** to remember

acostumbrarse to grow accustomed, accustom oneself, get used to

acta *f.* certificate

actitud attitude

activo active

acto act

actuación action

acudir to hasten

acusación accusation

acusar to accuse, show, betray

achulado tough

adelantarse to go forward

adelante forward, go ahead, come in

ademán gesture

además (de) besides, moreover

adiós good-by

adjetivo adjective

administrador administrator

administrativo administrative

admiración admiration

admirar to admire, wonder at; **admirado** with admiration

admitir to permit, accept

adonde whither, where
adoptar to adopt
adorno adornment
adulterio adultery
advertir (ie) to warn, call attention to
advierta *pres. subj. 1 and 3 of* **advertir**
afición liking, taste; inclination; "fun"
afirmar to affirm, indicate "yes"
afirmativo affirmative
Afrodita Aphrodite (Venus)
agente agent, policeman
agitador agitator
agitar to stir, excite, agitate
agradecer to thank for, be grateful for
agrícola agricultural
agrimensor surveyor
agrónomo agricultural scientist, agronomist
agua *f.* water
aguardar to await, wait (for)
aguijón sting
ahí there, here
ahogar to stifle, choke, drown
ahora now, right away
ahorrar to save
aire air; **aire libre** open air
aislamiento isolation
ajeno (a) free (from), foreign (to)
ajo garlic
ajustar to conform, adjust
ala *f.* wing
alba *f.* dawn
alcance extent, scope, reach
alcanzar to achieve, attain, win
aldea village
alegrar to brighten

alegre gay
alegría gaiety, joy, happiness
alejar to remove, drive away; **alejarse** to move away
alemán German
aletazo stimulus, blow with a wing
alfabeto alphabet
algarada disturbance, riot
algo something, somewhat
alguien someone
algun(o) some, a, an
aliento breath
aliviar to relieve
alivio improvement, alleviation
alma *f.* soul, heart; **Mario de mi alma** my dear Mario
almacén storage house
almacenar to store
alocado wild, reckless
alquería farmhouse
alrededor around (about); **a su alrededor** around him
alternar to alternate
alternativo alternate
alto stop, halt; high; **en alto** high up
altura height
alumno student
allá there
allí there; **por allí** around there
amable kind(ly)
amabilidad kindness
amanecer dawn
amante lover
amar to love
amargo bitter
amarillo yellow
ambiente atmosphere, environment
ambulante touring, traveling, itinerant, barnstorming

amedrentado frightened

amén amen

amenazar to threaten

americana sack coat

amigo friend

amigablemente in a friendly way (tone)

amontonado crowded

amor love; amores *pl.* love affair

amoroso amorous, in love

amplio large

ancho broad, wide; a mis anchas unrestricted, with perfect comfort and freedom

anchura width

andar to walk, go, be on the move; andando let's go, on your way

anécdota *f.* anecdote

angustia anguish

angustiado in anguish

angustioso full of anguish

anillado annulated, formed with rings

anillo ring

animalejo little animal

animalista animalistic, of animals

ánimo spirit

anoche last night

anonadado overwhelmed, crushed

anotar to note

ante before, in front of; ante todo first of all

antecedente antecedent

antes before, at first; antes de (que) before

anterior former

antiguo old, former

anunciar to announce

año year; tener . . . años to be . . . years old

apagar to extinguish, put out

aparecer to appear

apartar to move away

aparte aside

apenas scarcely, hardly

aperos *pl.* tools, equipment

apetito appetite

aplastar to crush

aplaudir to applaud

aplauso applause

apoyo support

aprender (a) to learn (to)

apretar (ie) to tighten, press

aprietes *pres. subj.* 2 *of* apretar

aprobar (ue) to approve, "pass"

aprovechar to take advantage of, profit by

aproximado approximate

apuntar to begin to appear

aquí here; por aquí around here

arada plowing

Aragón *ancient kingdom and large region in northeastern Spain*

aranés of Arán

arbitrario arbitrary

árbol tree

arco arch

arcón chest

arder to burn

ardiente ardent, burning

argentino Argentine

argumento plot

armadura armor

armar: arman un escándalo they make a commotion

arquitecto architect

arrancar to pull off, tear away; to start

arrastrar to drag

arreglar to arrange, fix

arriba high, up, high up, "right up there"

arrodillarse to kneel

arrojar to throw

arrollar to roll, wrap; to rout, sweep away

arroz rice

arte *m.* art; **bellas artes** *f. pl.* fine arts

artejo joint, knuckle

artículo article

asco nausea, loathing

asegurar to assure

así thus, this (that) way, so, like this (that)

asiento seat

asignatura course of study

asilo asylum

asistir (a) to attend

asomarse to show (up), appear, look out (from a window)

asomo sign

aspecto appearance, aspect

aspirar to aspire

Asturias *mountainous region in northern Spain along the Bay of Biscay*

asustar to frighten, scare

atar to tie; **atarlo corto** to give him little rope

Atenas Athens

atención attention

atender (ie) to attend

ateneo club (*literary, scientific, etc.*)

atenerse a to stick to, abide by

atengo *pres. ind. 1 of* **atener**

aterrar to terrify, awe, appal

atmósfera atmosphere

Atocha *name of an important street in southern Madrid*

atraer to attract, draw

atragantarse to choke

atrás behind

atreverse (a) to dare

atroz atrocious

Atta Troll *see Introduction*

aturdido stunned, bewildered

audacia boldness, audacity

augurar to prophesy

aún still, yet

aunque although

automóvil automobile

autor author

autoridad authority

autoritario authoritarian

avanzar to advance

aventurero adventurous

avergonzarse to be ashamed

avergüences *pres. subj. 2 of* **avergonzar**

averiguar to find out, verify

avisar to notify

ay oh, alas, oh dear

ayer yesterday; **antes de ayer** day before yesterday

ayudante assistant, helper

ayudar to help

azotar to whip

azucena lily

azul blue

azuzar to set, sick (an animal)

B

bachillerato bachelor's degree (*roughly equivalent to high school or junior college graduation in the United States*)

bailar to dance

bailarín dancer

baja failure, casualty, "flunk"

bajar to lower

bajo beneath; low; **por lo bajo** in a low voice

balada ballad

Baleares, Las Islas the Balearic Islands (*an archipelago in the Mediterranean lying near the Spanish mainland*)

ballesta crossbow

bambú bamboo

banderola pennant

baño bath

barba beard

bárbaro barbarian; barbarous, awful; **el muy bárbaro** the big roughneck

barco boat, ship

barnizar to varnish

barraca cabin

barriga belly

base *f.* basis; **a base de** on the basis of

bastante quite, rather, enough

bastar to suffice, be sufficient (enough)

bata frock, long dress

baúl trunk

bebedor drinking; drinker

beber to drink

bebida drink

becario scholarship (holding)

bello beautiful

Benavente, Jacinto (*b. 1866*) *Spanish dramatist of international renown, winner of the Nobel prize for literature in 1922*

besar to kiss

beso kiss

bicho bug; beast

bien well, O.K., fine, all right, good; **bien está** all right, O.K.

bienvenido welcome

blanco white; **en blanco** blank

blanquear to whitewash

bloc(k) pad

boca mouth

bolsa pocketbook, purse

bolsillo pocket

bonito pretty

borracho drunk

borrar to erase

botánica botany

botella bottle

botiquín first aid kit

bravo bullying, untractable; rude, wild, fierce; bravo!

brazo arm; **al brazo** under his arm; **del brazo** by the arm; **del brazo de** on the arm of

brillante shining, brilliant

brindar to toast, drink a toast

brindis toast

broma joke; **tomar a broma** to take as a joke, jokingly

buen(o) good; all right, well, O.K.; **muy buenas (tardes)** good afternoon

burlarse de to mock

burlón mocking

buscar to seek, look for

busque *pres. subj. 1 and 3 of* buscar

C

caber to be contained, be possible, be room for

cabeza head

cabo end; **al fin y al cabo** after all

cacharro pot, earthen vase

cada each; **allá cada cual** that's each one's business

cadáver corpse, cadaver

cadena chain

caer to fall; drop; fail, "flunk"; **cae la tarde** the afternoon is ending

caiga *pres. subj. 1 and 3 of* **caer**

caja box

Cajal: Ramón y Cajal, Santiago (*1852–1934*) *Spanish medical doctor and histologist of universal fame, winner in 1906 of the Nobel prize in physiology and medicine*

cajita little box

cal *f.* lime

calabaza pumpkin, squash; **dar calabazas** to refuse, turn down

calcular to calculate, estimate

Calderón: Calderón de la Barca, Pedro (*1600–1681*) *greatest Spanish dramatist after Lope de Vega*

caliente hot

calma calm, calmness

calor heat; **hacer calor** to be hot

callar to silence, be (keep) silent, shut up

calle *f.* street

callo callus

cámara chamber

camarada *m.* (*or f.*) comrade

camarín inner little room

cambio change; **en cambio** on the other hand, in exchange

camino road; **por esos caminos** on the road

camisa shirt

campeón champion

campesino peasant

campestre rural

campo field, country; **campo de juegos** playing field

canalla *m.* (*or f.*) vile, despicable scoundrel

cancerbero guard (*the three-headed dog in classical mythology who jealously guarded the gates of Hell*)

canción song

cansado tired

cansancio fatigue

cansar to tire

cantar to sing

cántaro pitcher

capacidad capacity, capability

caparazón caparison (*ornamented armor for horses in medieval days*)

capaz capable, able

capitán captain

cara face

carácter character

característica trait, characteristic

carcajada burst of laughter, guffaw

cárcel *f.* jail, prison

cardenal bruise

carga load, burden

cargar to load, get a load of, carry; **cargar con** to take on

cargo post, duty

caricatura caricature

caricia caress

cariño affection

cariñoso affectionate

carne *f.* meat

caro dear, expensive

carpeta filing envelope

carpintería carpentry

carrera course; career

carretera highway, road

carretilla wheelbarrow

carromato cart
cartera portfolio, brief case, wallet
cartón pasteboard
cartulina card
casa house, home
casar to marry
cascarón shell
casi almost
casino club(house)
caso case; hacer caso to pay attention
casta breed
castaño chestnut tree
castellano Spanish, Castilian
castigar to punish
castigo punishment
Castilla Castile (*Old and New, the two Castiles were long the unifying heart of the nation; they comprise most of Spain's high central tableland*)
casucha hut, cottage
catedral *f.* cathedral
categoría rank
católico catholic
catorce fourteen
cauce channel
causar to cause, make
cayó *pret. 3 of* caer
caza hunt; a la caza de hunting
cazador hunter
cazar to hunt
cefalópodo cephalopod (*kind of large mollusc—squid, for example—that lives inside a baglike skin which has an opening for the head to protrude*)
ceja eyebrow
celda cell
celebrar to celebrate
celo: en celo in rut

cenar to sup, eat supper
ceniza ash
centeno rye
centímetro centimeter (*c. ⅖₀ of an inch*)
centro center
ceño frown, puckered brow
cerca (de) near (by)
cercano near
cérceris tuberculata (*Latin: name for a kind of wasp similar to the mud dauber*)
ceremonia ceremony
Cervantes Saavedra, Miguel de (*1547–1616*) *Spain's greatest literary figure, author of "Don Quixote," the world's greatest novel, and of many other works including some short comic plays called "entremeses"*
cerrar (ie) to close; cerrar en cuadro to box in, enclose; cerrado without openings or open work
cerveza beer
cesión *f.* conveyance, transfer
césped lawn, turf, grass
cesta basket
cesto large basket
ciencia science
científico scientific
cien(to) a hundred; por ciento per cent
cierra *pres. ind. 3 of* cerrar
cierto (a) certain
cinco five
cincuenta fifty
cinto belt; al cinto (fastened) to his belt
cintura waist, girdle, belt; meter en cintura to subdue
cinturón belt

circular to circulate

ciudad city; **Ciudad de Cádiz** (*name of passenger ship*); **Ciudad Universitaria** University City (*a splendid development on the northwestern edge of Madrid, planned to bring effectively together the scattered schools of the Universidad Central. Some parts were completed and in use in 1936. It was a major battle ground in the civil war (1936–1939) and most of the buildings were destroyed or badly damaged*)

ciudadanía citizenship

ciudadano citizen

civilización civilization

claro clear; of course

clase *f.* kind, class

clavar to nail, stick in; to drive nails

clavícula collar bone

coacción compulsion

cobarde coward

cobertizo shed

cobre copper

cocer (ue) to bake, cook

cocina kitchen

cocodrilo crocodile

coche(cito) (little) carriage, car, automobile

cochero driver, chauffeur

codicia covetousness, greed

código code

coexistencia coexistence

coger to catch, take, seize, pick

cojo *pres. ind. 1 of* coger

colaboración collaboration

colada wash

colección collection

colectivo collective

colegio school

coleóptero Coleoptera (*order of insects, commonly called beetles*)

colgar (ue) to hang, "flunk"

colmena beehive

colocar to place

colonia colony

columna column

combatir to combat, fight

comedia play, comedy

comedor dining room

comentar to comment, make comment(s)

comentario comment, commentary

comenzar (ie) to begin

comer to eat

cometer to commit

cómico comical

comida meal, dinner

comienza *pres. ind. 3 of* comenzar

comienzo beginning

como as; like; if; ¿¡cómo!? how!? what!? why?, how is it that...?

compañera comrade, girl friend

compañerismo good fellowship, comradeship

compañero companion, comrade, boy friend, pal

compañía company

compasivo pitying(ly)

completar to complete

completo complete

componer to compose

comprar to buy

comprender to understand

comprometer to compromise, endanger; **comprometerse** to promise, agree

compuesto compound

común common

comunal communal
comunicación communication
con with
concesión concession
conciencia conscience; a conciencia conscientiously
concreto concrete
conde count
condición condition, term
conejo rabbit
conferencia lecture
confesar (ie) to confess
confieso *pres. ind. 1* of confesar
confuso confused, upset
conmigo with me
conmovido moved
conocer to know, meet
conozco *pres. ind. 1* of conocer
conque (and) so (then)
conquista conquest, victory
conquistar to win, gain
consagrar to devote
conseguir (i) to accomplish, get, achieve; to succeed (in)
conserje warden, janitor
conservar to keep
conservatorio conservatory
consiguiente consequent
consternado dismayed, amazed
construcción construction
construir to build, construct
construyen *pres. ind. 6* of construir
contagiar to infect
contar (ue) to tell, relate, recount; to count; contar con to count on
contemplación contemplation
contemplar to contemplate, look at
contener to contain, restrain
contento happy; satisfied
contestar to answer
contiene *pres. ind. 3* of contener

contigo with you
contra against; en contra de against
contrabandista *m. (or f.)* smuggler
contrariado thwarted, disappointed
contrario opposite, contrary; al contrario on the contrary
contrato contract
controversia controversy
convencer to convince
convenir to suit, agree
convertir (ie) to turn
convicción conviction
conviene *pres. ind. 3* of convenir
convierte *pres. ind. 3* of convertir
convivencia living together
convivir to live together
copa cup, goblet, "drink"
copiar to copy
coraza armor plating on breast and back
corazón heart
corbata necktie
corcho cork
coro chorus; a coro in chorus
correcto correct
corregir (i) to correct
correr to run; correrse to open; de corrido at full speed, without stopping
corresponder to correspond, belong, agree
corrijan *pres. subj. 6* of corregir
corro circle
cortar to cut, interrupt, cut off; cortado cut short
cortina curtain
corto short
cosa thing, matter, affair; otra cosa something else
costar (ue) to cost

costumbre *f.* custom, manner, habit

crear to create

crédito credit; **dar crédito** to believe

creer to think, believe; **ya lo creo** why certainly

creyendo *pres. part. of* creer

cría breeding; "young," suckling

criar to rear, bring up

crimen crime

crisantemo chrysanthemum

cristal glass, window pane

crítica criticism

crucero cruise

Cruz, Ramón de la Cruz (*1731–1794*) *author of comic and satiric short plays called "sainetes"*

cruzar to cross

cuadrar to fit, suit

cuadro scene, picture

cualquier (a) any (at all)

cuando when; **¿cuándo?** when?

cuanto all that; **¿¡cuánto(s)!?** How much (many)!?; **en cuanto a** as for, as far as concerns

cuarenta forty

cuarto "penny"; room

cuatro four

cubano Cuban

cubil lair, den

cubo bucket, pail

cuchillo knife

cuecen *pres. ind. 6 of* cocer

cuello neck

cuenta account; **por mi cuenta** on my (own) account; **darse cuenta** to realize

cuentan *pres. ind. 6 of* contar

cuento tale, story; **cuento verde** off-color (dirty, smutty) story

cuerda string, cord

cuerno horn

cuerpo body

cuesta hill

cuestión *f.* question, problem

cuestionario questionnaire

cueva cave

cuidado care; **cuidado con** look out for, careful with

cuidar to take care of

culpa fault, blame; **tener la culpa** to be at fault

culpable guilty

cultivar to cultivate

cultura culture

cumpleaños *m. sing.* birthday

cumplido full, complete

cumplir to fulfill, do

cúmulo pile

cura cure, treatment

curiosidad curiosity, inquisitiveness

curioso curious

curso course

custodiar to guard

cuyo whose, of which

Ch

chalina cravat, scarf

champán champagne

chapuza a little job

chica girl

chico boy, kid

chimenea fireplace

chiquilla little girl, child

chiquillo child, kid

chist sh-h-h

chistera top hat

chuchería gewgaw, trinket

D

dama lady

damisela damsel

danza dance

danzar to dance

danzarín dancer

daño harm, damage

dar to give, cause; **dar ganas de** to make one want to; **dar un paso** to take a step; **dar la razón** to admit to be right; **dar resultado** to get results; **dar rubor** to make ashamed; **dar vueltas** to revolve, to turn around and around; **darse cuenta** to realize; **darse por enterado** to let on (one understands); **le ha dado** it has struck (come upon) her; **me dan asco** they make me sick; **me da el corazón** my heart tells me; **no me da buena espina** it makes me suspicious; **me dan mareos** I have attacks of nausea; **os da miedo** it makes you afraid; **da lo mismo** it's all the same, it makes no difference; **me da pena** it makes me feel bad

dato fact, datum

de of, in; with; by; than; **de lo que** than; **de pequeño** as a youngster

deber to owe, "ought"; duty; **debido** proper

débil weak

decadencia decadence, decline

decidir to decide, determine; **decidirse** to make up one's mind

decir to tell, say; **decir que no** to say no; **es decir** that is; **dígamelo usted a mí** you're telling me; dice así it goes like this; **dicho** the same, aforesaid; **usted dirá** what is it (you have to say)?

decisión decision

declamación declamation

declaración proposal, declaration

declarar to declare

decoración decoration

decorativo decorative

dedicar to devote

dedo finger

defecto defect

defender (ie) to defend

defraudar to defraud

dejar to let, leave (alone); to put down; **dejarse de** to leave off, omit, cut out

delante (de) in front (of), before

delantero front

delicadeza delicacy

delicado delicate

delicioso delightful, delicious

delincuente delinquent

delito transgression, crime

demagógico demagogical, rabble-rousing

demás other, rest

demasiado(s) too, too much (many)

demonio demon, devil; **¡demonio!** the deuce!, the devil!

demostrar (ue) to prove, demonstrate

denegar (ie) to deny, refuse, indicate "no"

deniega *pres. ind. 3 of* **denegar**

dentellada bite

dentro (de) within, in, inside; off-stage; **dentro de poco** in a little while; **por dentro y por fuera**

(on the) inside and (on the) outside

denunciar to proclaim, betray

deporte sport

deportivo sport, sporting

derecho right

derribar to tear down

desafiar to challenge

desafío challenge

desangrar to bleed

desaparecer to disappear

desaprensivo unscrupulous, careless

desarrollar to develop

desasirse to get loose

desbandada dispersal; disbandment, break-up

desbocado "loud"

desbordar to overflow

descalzar to take off the shoes

descalzo without shoes, barefoot

descansar to rest

descender (ie) to descend

descolgar (ue) to let down

descorchar to uncork

describir to describe

descripción description

desde from, since; ¿**desde cuándo?** How soon? (Since when?), **desde mañana mismo** right from tomorrow; **desde luego** naturally, of course

desear to wish, desire

desempeñar to perform, fill, carry out

desenvolver (ue) to unfold, evolve, develop

desequilibrar to unbalance

desfallecer to faint; to weaken; to feel faint

desfilar to file off

desgarramiento tearing away

deshabitado unoccupied

deshojar to tear the leaves off

desierto desert

desilusión disappointment, disillusion

desinteresado disinterested

desmayar(se) to faint

desmayo faint

desmelenado disheveled, with hair mussed up

desnudo naked

desorden disorder

desorientar to lose one's way

despacho office, study

despacio slowly

desparpajo pertness

despedida leave-taking; saying good-by

despedir (i) to say good-by

despeinado disheveled, with hair mussed up

despertar (ie) to awake(n)

despistado thrown off the track

desplomarse to collapse

despreciar to scorn

desprenderse to get loose

después next, afterwards, later; **después de (que)** after

desterrado exiled

destinar to intend, destine

destino: con destino a going to

destrozar to destroy

desvanecimiento faintness, dizziness

desvelar to unveil

desvencijado loose-jointed, rickety

detalle detail

detenerse to stop

detengámonos *pres. subj. 4 of* **detenerse**

detiene *pres. ind. 3 of* detener

detrás (de) behind, after

devolver (ue) to return

devuelve *pres. ind. 3 of* devolver

di *imp. sing. of* decir

día *m.* day; de día by day, in the daytime; buenos días good morning; todos los días every day

diablo devil; qué diablos what the devil

dialecto dialect

diario daily; a diario daily

dibujo drawing

diccionario dictionary

dice *pres. ind. 3 of* decir

dictar to dictate

dicho *past part. of* decir

dichoso happy

dieciocho eighteen

diente tooth

diez ten

diferencia difference

difícil difficult

diga *pres. subj. 1 and 3 of* decir

dignarse to deign, condescend

dignidad dignity

digo *pres. ind. 1 of* decir

dije *pret. 1 of* decir

dimisión resignation

dinero money

Dios God; Dios mío (good) Heavens; por Dios for Heaven's sake

dirás *future 2 of* decir

dirección management, administration, direction; Dirección de Seguridad Police Office (Station)

directo direct

director de graduada director of graded schools

directora directress

diría *conditional 1 and 3 of* decir

dirigir to direct; dirigir la palabra to speak; dirigirse to turn

disciplina discipline

discreto discreet, circumspect

discusión *f.* discussion

discutir to discuss, argue

disección dissection

disfraz disguise

disfrutar to enjoy, benefit by

disgusto unpleasantness, annoyance, displeasure

disparar to shoot

disparate absurdity, nonsense

disparo shot

disponer to arrange, fix

dispuesto ready; *past part. of* disponer

distinguir to designate, distinguish

distinto (a) different (from)

divertido amusing

divertir (ie) to amuse, divert; divertirse to have a good time

dividir to divide

divierta *pres. subj. 1 and 3 of* divertir

doblar to fold, bend

doble double

docente educational

doctor doctor

doctorado doctorate, doctor's degree

doctrina doctrine

documento document

doler (ue) to pain, hurt, ache

dolor grief, pain

doloroso grievous, painful, sorrowful

dominar to control, dominate

domingo Sunday

don *untranslatable title of respect, used with baptismal names*

donde where, in which; **¿dónde?** where?

donjuanismo Don Juan-ism (*among other things, the cult of amorous seduction*)

dormir (ue) to sleep; **dormirse** to fall asleep

dos two

dragón dragon

dramaturgo dramatist

ducha shower (bath)

duda doubt

dudar (de) to doubt

duelan *pres. subj. 6 of* **doler**

duelo sorrow, condolence

dueña owner

dulzaina flageolet

durante during, for

durar to last

dureza hardness

duro hard

E

e and

ea *interjection meaning something like: "see here"; or "well", "so"*

eco echo

echar to throw; **echar de menos** to miss; **echar a** to start; **echarlo a rodar** to ruin it; **echarse encima** to pile on, crowd

edificio building

educación education, good breeding

educando pupil, inmate

educar to educate, rear

educativo educational

efecto: en efecto in fact

eficaz efficient

Egipto Egypt

ejemplar example, specimen

ejemplo example

el (la, los, las) que who, whom, which

el cual, *etc.* which, who

elefante elephant

elegancia elegance

elegante stylish, elegant

elegir (i) to elect, choose

elemento element

elevar to elevate, raise; **elevado** high

élitro elytron (*horny and protective upper wing of the Coleoptera or beetle*)

elogio praise, eulogy

embarazoso embarrassing

embargo: sin embargo nevertheless

embeber to absorb

embocadura proscenium arch

embrear to daub with pitch

emigrante emigrant

emoción emotion

emocionar to move emotionally; **emocionado** full of emotion

emparrado embowered; vine arbor

empecé *pret. 1 of* **empezar**

empeñarse to insist

empeño pledge, contract; **tener empeño (en)** to insist (on)

empezar (ie) to begin

empiece *pres. subj. 1 and 3 of* **empezar**

emplear to use

emprender to undertake

empresa undertaking

empujar to push, shove

empujón push

en in, at, into

enamorado lover; in love

encantador enchanting

encarar to face

encargar: encargarse de to take charge of

encariñarse con to grow fond of

encender (ie) to light; encendido (in)spirited

encerrar (ie) to lock up

encienden *pres. ind. 6 of* encender

encima (de) above, on top (of)

Encina, Juan del (*1469?-1529?*) *early Spanish poet and dramatist, author chiefly of religious and pastoral plays*

encogido timid, bashful

encontrar (ue) to find, meet

enemigo enemy, hostile

energía energy

enérgico energetic

enfermar to fall sick

enfermedad sickness

enfermera nurse

enfermo sick, ill

engañar to deceive

enhorabuena congratulations

enjuto lean

enorme enormous

enredadera vine, climber

ensalada salad, mixup, fracas

ensayar to rehearse

ensayo essay; rehearsal

enseñanza teaching

enseñar to teach

ensimismado absorbed in thought

entender (ie) to understand

enterar to inform

entero entire, whole

enterrar (ie) to bury

entomólogo entomologist

entonar to sing

entonces then

entornar to half-close

entrada entrance

entrañas *pl.* vitals

entrar to enter, come (go) on stage

entre between, among, on; entre . . . y half . . . half; por entre through

entregar to hand (over), give

entremés interlude, farce (*short, one-act playlet*)

entretanto meanwhile

entretener to entertain

entristecer to sadden

enturbiar to muddle, obscure

entusiasmo enthusiasm

enviar to send

época period

equivocar to mistake; equivocarse to make a mistake

era threshing floor (*in the open air*)

era *imperf. ind. 1 and 3 of* ser

eres *pres. ind. 2 of* ser

erguido erect

es *pres. ind. 3 of* ser

escalón step

escalonado raised by some steps

escandaloso scandalous

escapada run-away, escapade

escapar(se) to escape, run away

escaparate shop window

escarabajo black beetle

escena stage, scene

escenario stage

escénico theatrical

escenificación dramatization, arrangement for the stage

esclavo slave

escoger to select, choose

escoja *pres. subj.* 1 and 3 *of* escoger

escolar scholastic, school

esconder to hide; a escondidas on the sly

escorpio scorpion

escribir to write

escrito *past part. of* escribir

escuchar to listen

escuela school

ese that; your

esencia essence

esfuerzo effort

eso: en eso that's where

espacio space

espalda back; de espaldas a with back(s) to

España Spain

español Spanish

espantar to frighten

espanto fright, horror

espantoso frightful

especie *f.* species, kind

espectacular spectacular

espectáculo spectacle

espejo mirror

esperanza hope

esperar to hope, wait, await, wait for, expect

espiga ear of corn

espino hawthorn

espíritu spirit

espiritual spiritual

espléndido splendid

esponsales *pl.* betrothal, engagement

espuma foam

esquivez *f.* disdain, shyness

esquivo disdainful, shy

establo stable

estaca stake, club

estacazo blow with an estaca

estado state

estallar to burst, explode

estampar to print, give

estanque, pond, pool

estaño tin

estar to be, to look; estar de enhorabuena to be congratulated; ya está it's all ready; that's it, that's that; ¿ya está? Is it all (decided)?; no están bien aren't right; estarse to stay, keep

estén *pres. subj.* 6 *of* estar

estéril sterile, fruitless

estilizado stylized

estilo style

estimar to judge, estimate

estío summer

estorbar to be in the way

estorbo hindrance

estornudo sneeze

estoy *pres. ind.* 1 *of* estar

estrechar to clasp, press; estrechar la mano to shake hands

estrechez *f.* tightness

estrella star

estrenar to perform (put on) for the first time

estribillo refrain

estudiante student

estudiantil student

estudiantina student life

estudiantón slow student

estudiar to study

estudio study

estudioso studious

estúpido stupid

etcétera etcetera

eterno eternal

eugenésico eugenic

evitar to avoid, prevent

exacto exact

exagerar to exaggerate

examen examination

excederse to go too far

excesivo excessive

exclamación exclamation

exclusivo exclusive

excursión *f.* excursion

excusar to excuse, prevent

existir to exist

éxito success

expectación expectation, expectancy

explicar to explain

explique *pres. subj. 1 and 3 of explicar*

explotar to exploit

exponer to expose

expósito foundling

expresar to express

exterior outside

extraño strange

extraordinario extraordinary

extremo extreme

expuesto *past part. of* exponer

Extremadura *region in western Spain bordering on Portugal*

F

fábrica structure, factory, works

fabricar to make, fabricate, manufacture

fábula fable

fabulista of (the) fable(s)

fabuloso fabulous

fácil easy

facilidad ease, facility

facilitar to supply

facultad faculty, college *or* school (*of a university*)

falda skirt

falsedad falseness

falta fault, mistake, error, lack, absence; hacer falta to be necessary, need

faltar to lack, be lacking, be . . short, be missing; no faltaba más why, of course; the idea; not at all

fallar to fail

familia family

fantasía fantasy, fancy

fantasista fanciful

fantástico imaginative, fantastic

farsa farce

fatiga fatigue

fatigarse to get tired

fauna fauna (*"flora" and "fauna": biological terms in both Spanish and English meaning the plants and the animals*)

fe *f.* faith

febrero February

febril feverish

fecundar to fertilize

fecundidad fertility

fecha date

federación federation

felicidad happiness

felicitación congratulations

felicitar to congratulate

feliz happy; lo feliz que será how happy (she) must be

femenino feminine

fenicio Phoenician

feo ugly

feria fair

ficha card, tally, record

fichero file, filing cabinet

fiebre *f.* fever; **fiebre terciana** tertian fever (*intermittent—every three days*)

fiel faithful

fiesta entertainment, performance

figurín pattern

fijamente fixedly, closely

fijarse to notice

fila row, file, rank; **¡Fila!** Line up!

filosofía philosophy; **filosofía y letras** humanities

filosófico philosophical(ly)

fin end; **al fin** finally, at last; **por fin** finally, at last; **en fin** in short; well, after all; **al fin y al cabo** after all

final end(ing)

finca piece of real estate

firmar to sign

firme steady, firm

físico physical

fisiología physiology

flaqueza weakness

flauta flute

flecha arrow

flor *f.* flower; **en flor** blooming

florido flowery

flúido current, fluid

fondo background, depth, deep part, bottom, back; **a fondo** deeply; **al fondo** in the background; **en el fondo** at bottom, in substance, at heart, deep down

forillo backdrop (stage)

forma form, way

formar to form

fórmula formula

fotografía photograph

frac tail coat

fracasado crumbled, broken

fracasar to fail

fracaso failure

francés French

franco frank

frase *f.* sentence, phrase

frecuente frequent

frente *m.* front, head; *f.* forehead; **de frente** from the front

fresco fresh, cool

frescura freshness

frío cold

frivolidad frivolity

frondoso leafy, luxuriant

fué *pret. 3 of* **ser** *and* **ir**

fuego fire

fuente *f.* fountain

fuera (de) outside, since

fuera *imperf. subj. 1 and 3 of* **ser** *and* **ir**

fuero (statute) law

fuerte strong

fuerza force

fuiste *pret. 2 of* **ser** *and* **ir**

fuga flight

fugarse to run away

furia fury

furioso furious

futuro future

G

gafas *pl.* spectacles

gaita flageolet, (bag)pipe

galán leading man, gallant, lover

gallardo elegant, gallant

gallina hen, chicken

gallinero chicken house

gana desire, wish

ganar to gain; to win

García Lorca, Federico (*1899–1936*) *dramatist and at his death Spain's leading poet*

garganta throat

gasa gauze

gastar to spend

gata tabby, cat

gaudeamus *Latin:* let us rejoice; **gaudeamus igitur iúvenes dum sumus** let us rejoice therefore while we are young

generación generation

generoso generous

gente *f.* people

geranio geranium

gesto gesture

gitano gypsy

gloria glory

golondrina swallow

golpe blow

golpear to beat

goma rubber

gordo fat

gorra cap

gozo joy

gracias *pl.* thanks

gracioso comic, funny, amusing

grado degree

gran(de) large, great

grandeza greatness

granero granery, barn

granja farm

granjerita farm girl

grano grain

gratitud gratitude

grato pleasant, pleasing

grave serious, grave

gravedad seriousness, gravity

grifo faucet, spigot

grillo cricket

grillotalpa *m.* mantis

gris gray

gruñido grunt

grupo group

Guadarrama (Sierra de) *mountain range just north of Madrid*

guantelete gauntlet

guapo good looking

guardar to keep, hold (against)

guardia *m.* policeman

gubernativo governmental

guerra war; **Gran Guerra** World War (I)

guisante pea

guitarra guitar

gustar to please; **me (te, *etc.*) gusta . . .** I (you, etc.) like . . .

gusto pleasure; **mucho gusto** pleased to meet you

H

ha *pres. ind. 3 of* **haber**

haber (there) to be, have (*auxiliary verb*)

hay there is (are); **¿qué hay?** What's up, What's the news?; **hay que + *inf.*** one must, has to, it is necessary to; **había que cuidar** it was necessary to take care of; **he de hablar** I am to (must) speak; **¡qué ha de ser . . . !** What do you mean it's (a) . . . !; **hemos de ser** we're going to be; **de haber algún herido** if there is (was, *etc.*) anyone wounded

hábil capable

habitación room

habitante inhabitant

habitar to inhabit

hablar to speak

habrás *future 2 of* haber

hacer to do, make; hacer apetito to work up an appetite; hacerse cargo to take charge; hacer caso to pay attention, heed, mind; hacer daño to harm, hurt; hacer el favor to please; hacer frente a to resist; hacer gracia to seem funny; hacer presente to state; hago falta I am needed; hace una temperatura deliciosa it's delightful weather; hace un año a year ago (*with past tense*), for a year (*with present tense*); se hace el oscuro it becomes dark; hace vieja (it) makes (one) old; ¿qué le vamos a hacer? What are we going to do about it?; hecho ready made; hecha una furia (acting) like (turned into a) fury (a madman)

hacia toward(s)

hago *pres. ind. 1 of* hacer

halagar to flatter

halar to pull, haul; ¡hala! heave ho!

hallarse to be, find oneself

hallazgo "find," discovery

han *pres. ind. 6 of* haber

haré *future 1 of* hacer

haría *conditional 1 and 3 of* hacer

has *pres. ind. 2 of* haber

hasta until, even, as far (much) as, up to; hasta que until; hasta siempre so long; ¿hasta dónde es capaz de llegar? How far is it capable of going?

hayan *pres. subj. 6 of* haber

hazaña exploit, great deed

he lo, behold; he(lo) aquí here he is; *also, pres. ind. 1 of* haber

hecho fact; *past part. of* hacer

Heine, Heinrich (*1797–1856*) *celebrated German poet, distinguished for his skepticism and for his ironic and sad melancholy*

hembra female

herencia heredity, inheritance

herido wounded

hermano brother; hermanos brother(s) and sister(s)

hermoso beautiful

Hernández-Catá, Alfonso (*b. 1885*) *Cuban novelist, short story writer and dramatist*

héroe hero

herramienta tool

hidromel mead, honeyed water

hielo ice

hija daughter

hijo son, boy, child

hilo wire, thread

himenóptero Hymenoptera (*order of insects including bees, wasps, and ants*)

hinchado swollen

hipnotizar to hypnotize

hipo hiccough

hipopótamo hippopotamus

hispano Hispanic

historia history; story

hito guide post

hizo *pret. 3 of* hacer

hogar home

hoja sheet, leaf, paper; hoja de estudios academic transcript, course record, report card; hoja de servicios service record

hola hello, ho ho, you don't say so

hombre man; hombre de Dios dear fellow

hombro shoulder
homenaje act of homage, respect
hora hour; **a última hora** at the eleventh hour; **a estas horas** at this time
horno oven
hostería inn; **ah, de la hostería** Hello, you in the inn
hoy today
hubiera *imperf. subj. 1 and 3 of* **haber**
hueco opening
huele *pres. ind. 3 of* **oler**
huella trace, mark
huerta garden
huída flight
huir to flee
hule oilcloth
humano human
humedad dampness
humilde humble
hundir to collapse, be ruined
húngaro Hungarian, gypsy
huraño unsociable
hurra hurrah, cheer(s)
huy *interjection of surprise, etc.*
huye *pres. ind. 3 of* **huir**

I

íbamos *imperf. ind. 4 of* **ir**
ibero Iberian
idioma *m.* language
igual same, equal
iluminar to light up, illuminate
ilusionado hopeful, fascinated
ilustrado illustrated
ilustre illustrious
imagen *f.* image
imaginación imagination
imaginar to imagine

imaginario imaginary
impaciencia impatience
impaciente impatient(ly)
imperativo commanding(ly)
imponer to impose
importar to matter
importancia importance
imposibilidad impossibility
imposibilitado disabled
imposible impossible
impresión impression, effect
impresionar to impress, affect, make an impression on
improvisación improvisation
improvisar to improvise
impulso impulse
inacabable interminable
incapaz incapable
incauto unwary; incautious, unwise
incluso including
incorrecto incorrect
indecente indecent, nasty
indeciso undecided
indefenso defenceless
indemnización indemnification, indemnity
indicación sign, signal, indication, note
indicar to indicate, point
indisciplina indiscipline, lack of discipline
individualista *m. or f.* individualist
indomable unmanageable, untamable
infancia childhood
infantil childlike, children's
infantina princess
infiel faithless, unfaithful
infinitivo infinitive
ingeniero engineer

ingeniosidad cleverness
ingenuo ingenuous, naïve
inglés English; Englishman
iniciar to begin
iniciativa initiative
injusticia injustice
inmediato immediate
inmóvil motionless, unable to move
inolvidable unforgettable
inquieto uneasy
insecto insect
insistir (en) to insist (on)
instalación installation
instalar to install
institución institution
instrucción instruction
ínsula island
insultante insulting
inteligencia mind, intelligence; **de inteligencia** knowing
inteligente intelligent
intención meaning
intentar to try, attempt
interesante interesting
interesar to interest; **interesarse (por)** to get (be) interested (in)
interior inside; internal, inner
interno inner, internal
intratable impossible to get along with
intrépido bold
inundar to flood
inútil useless
invencible unconquerable, invincible
invierno winter
ir to go; to be; **ir con** to have to do with; **vamos** say, come; come now; **vaya** say, well, good; **iba a** would; **a eso voy yo** that's what

I'm getting at (to); ¿cómo no **voy a . . . ?** Why shouldn't I . . . ; **irse** to go away
irá *fut. 3 sing. of* **ir**
ironía irony
irreflexivo thoughtless, impulsive
irremediable inevitable, hopeless, helpless
irritante irritating, annoying
Isabel de Hungría, Santa (*1207-1231*) *thirteenth century Hungarian princess and saint*
isla island
izquierdo left

J

jamás never
Japón Japan
jardín garden
jardinero gardener
je *sound of feeble laughter*
jefe commanding officer
jornada day's work
joven young; youth
jovenzuela young girl
judío Jewish
juegan *pres. ind. 6 of* **jugar**
juego game; **juego escénico** stage business (acting)
juerga spree, "party"
jugar (ue) to move, play; to gamble; to serve, act
juguete toy
juicio judgment
juicioso well-behaved
junio June
junto a near, next to; **juntos** together
jurar to swear
jurídico legal

justo just
juventud youth

L

labio lip
labor *f.* work
laboratorio laboratory
labranza farming
lacayo groom, lackey
laconismo brevity
lado side; por un lado on one hand
ladrón thief
Lafontaine: La Fontaine, Jean de (*1621–1695*) *French author distinguished for his fables*
lagar wine press
lagartija small lizard
lágrima tear
lamentar to regret
lámina sheet, plate
lanzar to throw, hurl
lapicero (mechanical) pencil, "eversharp"
lápiz pencil
lares *pl.* home
largo long; a la larga in the long run
lástima pity, too bad
lateral side, lateral
látigo whip, lash
latino Latin
lavandera laundress
lavar to wash
lazo bow
leal loyal
lealtad loyalty
lección lesson
lectura reading
leer to read
leguleyo petty lawyer, shyster

lejano distant
lejos far off (away), afar, a distance
lenguaje language, talk
lento slow
leña wood
leñera woodshed
león lion
León *ancient kingdom and region in northwest central Spain*
letra letter; letras literature
levantar to lift, raise, build; levantarse to get up
leve slight
ley *f.* law
leyenda legend
libélula dragon fly
libertad liberty, freedom
libertar to free
libertario libertarian, anarchistic
libre free
libro book
licenciado licenciate (*person holding a university degree—"licencia"—roughly equivalent to that of Master of Arts in the United States*)
ligero slight
limitar to limit
limosna alms
limpiar to clean
limpio clean
línea line
Linneo, Carlos de (*1707–1778*) *Linnaeus, Swedish naturalist, father of the modern system of classification and nomenclature for plants and animals.*
lírico lyric(al)
lirismo lyricism
lista list

listo ready; quick(ly)
lo de that (business, affair) of: **lo que** that which, what
lobo wolf
loco wild, crazy, mad
locusta veridissima *Latin: a species of grasshopper*
logaritmo logarithm
Lope: Vega Carpio, Lope Félix de (*1562–1635*) *Spain's greatest dramatic poet, credited with the formulation and establishment of the Spanish national drama*
luchar to struggle, fight
luego then, later; **hasta luego** till later, so long, see you later
lugar place
lúgubre gloomy, dismal, lugubrious
lujo luxury
luminaria festival light
luna moon
lupa lens
luto mourning
luz *f.* light

Ll

llamar to call; **llamarse** to be named
llanto weeping, flood of tears
llave *f.* key
llegada arrival
llegar to arrive, come, reach
llegue *pres. subj. 1 and 3 of* **llegar**
llegué *pret. 1 of* **llegar**
lleno full, replete; **llena de elegancia** with a lot of elegance; **de lleno** fully
llevar to wear, have, take, carry; **llevarse** to get, carry off (with

one); **¿cuánto tiempo lleva?** How long have you been?
llorar to weep, cry
lluvioso rainy

M

macho male
madera wood
madre *f.* mother
Madrid *capital city of Spain, located near the geographical center of the country*
maese *archaic:* master
maestoso majestically
maestro master, teacher
magnífico magnificent
maíz corn
mal wrong, harm, evil; bad, badly; **no está mal** it's not bad; **no le está mal** it serves him right
maldecir to curse
maldito cursed, damned
malhechor evil-doer
malo bad
mamífero mammal
manantial spring
mancebo young man
Mancha, La *semi-arid region in southeast central Spain*
mandar to order, command; to send
manejar to manage
manera manner, way; **a su manera** in his way
manga sleeve, (butterfly) net
mano *f.* hand; **dar la mano** to shake one's hand
mantel table cloth
mantelería table linen
maña trick

mañana tomorrow; morning; **por la mañana** in the morning

mapa *m.* map

máquina de viaje portable typewriter

mar sea

Marañón y Posadillo, Gregorio (*b. 1887*) *Spanish biologist and doctor, distinguished especially in glandular research, and man of letters*

maravilla marvel

maravilloso marvellous

marcha: estar en marcha to be started, on one's way

marchar to go, work, function; **marcharse** to leave, go away

Mare Nostrum *Latin:* Our Sea, *as Julius Caesar and Romans generally once called the Mediterranean; a term still used by many contemporary Italians and some Spaniards*

marear to sicken

mareo (sea)sickness

marido husband

mariposa butterfly

marquesa marchioness

Marquina, Eduardo (*b. 1879*) *author of poetic dramas*

más more, most; again, any more; **no . . . más (. . .) que** only. except; **lo más posible** as much as possible

masculino masculine

mastín mastiff

matar to kill

mate dull

matemáticas *pl.* mathematics

materia subject

maternidad maternity

matón bully

matricularse to register, enroll, matriculate

mayo May

máximo maximum

mayor greater, greatest; adult

mayorcita older little girl

medicina medicine

médico medical doctor

medio half; average; **medios** means

medir (i) to measure

meditar to meditate

mejor better, best; **a lo mejor** most likely, probably, without expecting it

mejoramiento improvement

mejorar to improve

melancólico melancholy

memoria memory; report, paper, article

mendeliano Mendelian (*from Mendel, the Austrian abbot, and his law of the inheritance of characters or determining factors called genes, derived from breeding experiments with peas*)

menor minor, less

menos less, least, fewer, fewest; **por lo menos** at least; **menos mal** not so bad

mente *f.* mind

mentir (ie) to lie

mentira lie

menudito tiny

merecer to deserve, merit; **merece la pena de** is worth

mes month; **al mes** per month

mesa table; **en la mesa** at the table

mesita little table

metabolismo metabolism

meter to put

metro meter
mezclar to mix, mingle
microscopio microscope
midiendo *pres. part. of* medir
miedo fear; tener miedo to be afraid
mientras while, as long as
milagro miracle
mimbre wicker
mimo petting
mina mine
mínimo minimum
ministerio department, ministry
minucioso minute
minúsculo small, tiny
mirada glance
mirar to look (at)
miserable wretched
miseria misery
misericordia pity
misión mission
mismo same, self, very; aquí mismo right here; lo mismo . . que as well . . . as, the same . . . as
misterio mystery
misterioso mysterious
mitad half
mocedad youth
mocita young maiden
modelo model
modestia modesty
modo way; de todos modos at any rate, in any case; de otro modo in another way, otherwise; de modo que so that
moler (ue) to mill, grind
molestar to bother, disturb
Molière (*1622–1673*) *greatest of all French comic dramatists*
molino mill

molusco mollusc
momento moment; en estos momentos at the present time
moneda coin, money
mono coverall
monstruo monster
montaña mountain
monte mountain, hill; woodland
montón heap, pile; a montones in heaps, droves
morboso diseased, morbid
morder (ue) to bite
mordisco bite
moreno dark
moribundo dying
morir (ue) to die
mosca fly
mostrar (ue) to show; mostrar en alto holding up to show
motivo motive; con este motivo on this account, for this cause; con motivo de on account of
mover (ue) to move
movimiento movement
muchacha girl
muchachita little girl
muchacho boy
muchachote big (husky) boy
mucho much, a lot of, very; muchos many
muela tooth, molar
muera *pres. subj. 1 and 3 of* morir
muestra *pres. ind. 3 of* mostrar
muerte *f.* death
muerto *past part. of* morir
mueve *pres. ind. 3 of* mover
mujer *f.* woman
mula mule
multicolor many colored
mundial world(ly)

mundo world; **todo el mundo** everybody

muñeca wrist

muriendo *pres. part. of* morir

Murcia *large provincial capital (pop. c. 150,000) in southeastern Spain*

murió *pret. 3 of* morir

música music, musical selection

músico musician

mutación change (of scene)

mutis exit

muy very

N

nacer to be born

nacional national

nada nothing, not at all; it's all right; **nada más** just, only

nadie nobody

nariz *f.* nose, nostril

naturalidad naturalness

naturalista naturalist

naufragar to shipwreck

naufrague *pres. subj. 1 and 3 of* naufragar

necesario necessary

necesidad necessity

necesitar to need

negar (ie) to deny

negativo negative

negro black

nervio nerve

nervioso nervous

nevar (ie) to snow

ni nor; **ni . . . ni** neither . . . nor

niebla mist

niego *pres. ind. 1 of* negar

niegues *pres. subj. 2 of* negar

nieve *f.* snow

ningun(o) no, not any, none

niña little girl

niño child, little boy

nivel level

no no, not

nobleza nobility

noche *f.* night; **esta noche** tonight; **media noche** midnight; **de noche** at night

nombrar to appoint

nombre name, noun

Norteamérica North America

nostalgia yearning, (home)sickness

nota note, grade

noticia (piece of) news; **tener noticias de** to know about

noventa ninety

novia sweetheart, bride, betrothed

novio sweetheart, betrothed

nube *f.* cloud

nubiense Nubian

nuevamente again, anew

nueve nine

nuevo new; **de nuevo** again, anew

número number

nunca never; ever

nupcial nuptial, marriage, wedding

O

o or

obedecer to obey

obediencia obedience

objeto object

obligar to oblige

obra work

obrero workman

observación observation

observar to observe

obstinarse to insist, be obstinate

ocasión occasion
ocultar to hide
oculto hidden
ocupado busy
ocupar to occupy; **ocuparse de** to pay attention to
ocurrir to occur, happen, be the matter
ochenta eighty
ocho eight
ofenderse to get offended
oficioso officious
ofrecer to offer
oído ear
oiga *pres. subj. 1 and 3 of* oír
oír to hear; oye hey, listen
ojal buttonhole
ojalá would that, I wish that
ojo eye
oler (hue) to smell
olvidar to forget
olivo olive tree
once eleven
oportunidad opportunity; **falta de oportunidad** inopportuneness, coming at the wrong time
oportuno proper
optimismo optimism
opuesto opposite
oración sentence
orador orator
orden order, rank; *f.* order, command
ordenar to order
organización organization
organizar to organize
orgullo pride
orgulloso proud
oro gold
orondo pompous
oscuro dark

osezna cub
oso bear
otoño autumn
otro (an)other, more; **otra cosa** anything else
oye *imp. and pres. ind. 3 of* oír
oyendo *pres. part. of* oír

P

pabellón pavilion
padre father
pagar to pay (for)
país country
paisaje landscape
pájaro bird
palabra word
palacio palace
Palencia *small provincial capital (pop. c. 20,000) in north central Spain*
Palestina Palestine
pálido pale
palo stick, club
pan bread
pandero tambourine
pañuelo handkerchief
papanata *m.* simpleton
papel paper, rôle, part
papeleta slip (of paper)
par pair, couple
para for, by, in order to; **para que** so that, in order that; **¿para qué?** for what purpose? why?
paraguas *m. sing.* umbrella
parar to stop
Pardo, El *small town about five miles north of Madrid with extensive buildings and grounds formerly belonging to the Royal Patrimony and serving as win-*

ter home for the Royal Family; since the Second Republic, a National Park

parecer to seem, appear; **al parecer** apparently; **parece mentira** it seems incredible; **parecerse a** to resemble

parecido similar, like

pared *f.* wall

pareja pair, couple

paréntesis parenthesis

pariente relative

parir to bear, give birth to

parroquial of a parish

Parsifal (*1882*) *name of Wagner's last opera*

parte *f.* part; **de mi parte** for me, from me, on my behalf; **¿de parte de quién?** on whose side?; **por mi parte** as far as I am concerned; **por otra parte** moreover, besides

partir to split; to leave; **a partir de . . .** from . . . on

parto childbirth

pasar to pass, happen, be the matter, go on, spend, go away, "do"; **ya pasó** it's all over; **no pasó de ahí** went no farther; **pasarse** to go away; **pasado** last

pasatiempo pastime

pasivo passive

pasmarse to wonder, marvel

paso step; **dar un paso** to take a step

pasto pasture

pastor shepherd, minister

pata paw, foot

patología pathology

patronato board of trustees

pausa pause

paz *f.* peace

pecado sin

pecho bosom

pedagógico pedagogical

pedir (i) to ask (for), request; **pedir relaciones** to "propose"

pegar to hit, strike

peinado hair-do, arrangement of the hair

peligro danger

peligroso dangerous

pelo hair

pena trouble, pain; **a duras penas** with great difficulty, hardly

pendiente earring

penetrante penetrating

pensamiento thought

pensar (ie) to think, consider; **pensar en** to think about

pensativo thoughtful

Peñalara *highest peak (c. 8,000 feet) in the Guadarrama range, about thirty miles from Madrid*

peor worse, worst

Pepita *nickname for Josefina:* Jo, Josie, *etc.*

pequeño small, little

percal percale

perder (ie) to lose, waste, fail, "flunk"

perdón pardon

perdonar to pardon

peregrino pilgrim

perfectamente perfectly, O.K., all right

perfecto perfect

pérgola arbor, bower

perímetro torácico chest measurement

periódico newspaper

perito expert

perla pearl
permanencia stay
permisión *f.* permission
permiso permission
permitir to permit
pero but
perro dog
persona person
personaje character, personage
personal personnel; personal
pesadilla nightmare
pesar: a pesar de in spite of
pescador fisherman
pescar to fish
peseta *monetary unit in Spain, with a former par value of 19.3 cents*
pinto of varied colors
petróleo oil, petroleum
picar to sting, prickle
pidiendo *pres. part. of* pedir
pido *pres. ind. 1 of* pedir
pie foot; **en pie** standing
piedra stone
piel *f.* skin
piensa *pres. ind. 3 of* pensar
pieza piece
pinar pine grove
pino pine tree
pintar to paint
pintoresco picturesque
pintura painting
Pirandello, Luigi *(1867–1936) contemporary Italian playwright*
pizarra blackboard
pinzas tweezers, pincers
pirámide *f.* pyramid
Pirineo Pyrenees
piscina swimming pool
pláceme congratulation

placer pleasure
plan plan, attitude
planta plan, site, plant
plantar to plant
plante leaving (in the lurch)
Plantígrado: Plantígrada: *a class of carnivorous animals including those which like bears and badgers place the whole of the sole of the foot on the ground when in motion*
plato plate, dish
plaza square
plenitud plenitude, fulness, abundance
pleno full
pluscuamperfecto pluperfect
pobre poor
pobreza poverty
poco little, not much; **un poco** a little bit; **pocos** few, not many
poder (ue) to be able, can; **no puedo más** I can't stand (do) it any longer; **¿se puede?** may I come in?
prendido caught, "stuck"
podrá *fut. 3 of* poder
podría *cond. 1 and 3 of* poder
poesía poetry
poeta *m.* poet
poético poetic
poliedro polyhedron: *a many-faceted solid*
poliestornudo big (multiple) sneeze
pollito chick
pollo chicken
poner to put, place; **poner en marcha** to start; **me pone triste** it makes me sad; **poner en valor** to make worth anything; **po-**

nerse to get, become, put on;
ponerse a to begin to
pongamos *pres. subj. 4 of* **poner**
poniente west, setting (sun)
poquito little (bit)
por by, because of, on account of,
for, through, over, along, about;
por aquí around here, this way;
por eso for that reason, that's
why; **¿por qué?** why?; **nueve
por cinco** nine times five
porche porch
porque because
porra club
porvenir future
posesión *f.* possession
posibilidad possibility
práctica practice, method
preceder to precede
precioso lovely, precious
precisamente exactly
preciso necessary
predilecto favorite
preguntar to ask
preliminar preliminary
premio prize
prender to catch
prensa press
preocupación worry
preocupado (por) worried, preoc-
cupied, concerned (with)
preparar to prepare
preparativo preparation
preparatorio preparatory division
(school)
presa dam
prescindir de to do without
presencia presence
presenciar to witness, attend
presentación presentation, introduction

presentar to introduce, present
presente present
presidenta president
prestar to lend
prestigio prestige
pretender to seek
pretensión *f.* claim
pretérito preterite
prevenir to warn
previsto provided, foreseen
primavera spring
primer(o) first
primitivo primitive
Primo de Rivera, Miguel (*1871–
1930) army general, and dicta
tor of Spain (*1923–1930*)
principio beginning
prisa speed, haste; **de prisa**
quickly, in a hurry
problema *m.* problem
proceder to proceed, act
procurar to get, procure, try
profesión *f.* profession
profesional professional
profesor professor, teacher
profesorado faculty, body of teachers
profundo profound, deep
prohibir to forbid, prohibit
prólogo prologue
promesa promise
prometer to promise
pronombre pronoun
pronto soon; **hasta pronto** see you
soon
pronunciar to pronounce
protagonista *m. or f.* main charac
ter, protagonist
protesta protest
protestante protestant
provechoso profitable

provinciano provincial

proyecto project

Prusia Prussia

psé pshaw

pubertad puberty

publicar to publish

público public, audience

pueblo people, town; **de pueblo en pueblo** from town to town

pudo *pret. 3 of* **poder**

pudrir to rot

puede *pres. ind. 3 of* **poder**

pueril childish

pues well; **pues bien** well then

puerta door

puerto port, harbor

puesto *past part. of* **poner**; post, position; **puesto de peligro** danger point

pulcro neat, beautiful

pumba *word used for its sound effect:* bang

puntilla: de puntillas on tiptoe

punto point

puño fist

puro pure, sheer, mere

Q

que that, which, who; than; **¿Qué? What?**; **¿Qué, . . . Well, . . . , What do you say, . . . ; ¡Qué . . . ! What a . . . !, How . . . !; ¿qué, y de tu vida?** well, what about your life?; **¿y qué?** so what?; **¿Qué tal? What do you say?, How goes it?**

quebrantar to break, weaken; **quebrantarse** to break down

quedar(se) to remain, stay; to "wait" (remain unmarried); **le queda . . .** he has left . . .

queja complaint

querencia fondness, affection

querer (ie) to wish, want, be willing, will; to love; to try; **querer decir** to mean; **querido** dear, darling; **quisiera** I should like

quien who; one who; people who; **¿quién?** who?

quieras *pres. subj. 2 of* **querer**

quieto quiet, still

quince fifteen

Quintero: Álvarez Quintero, Serafín (*1871–1938*) *and* **Joaquín** (*1873–1944*) *famous dramatic team of brother collaborators*

quisiéramos *imperf. subj. 4 of* **querer**

quitar to remove, take; **quitarse** to take off

quizá perhaps, maybe

R

rabo tail

rama branch

ramo branch, bough, bouquet

rápido rapid(ly)

raqueta racket

rasguño scratch

rastro trace

rato short period of time, while

raza race

razón *f.* reason, right; **tener razón** to be right

razonable reasonable

reacción reaction

reaccionar to react

realidad reality

realista realistic

realizar to accomplish
rebelarse to rebel
rebelde rebel, rebellious
recado message
recepción reception
recibir to receive
recitación delivery, recitation
recitar to recite
reclamar to claim
reclinar to lean back, recline
recoger to pick up, gather together; recogido drawn, gathered, caught up
reconocer to recognize
reconozca *pres. subj. 1 and 3 of* reconocer
reconquistar to reconquer
recordar (ue) to recall, remember
recorrer to run (go) over
recostarse (ue) to go to rest
recreo recreation
recto straight
rector *head of a university*
rectorado *office of "rector"*
recuerda *pres. ind. 3 of* recordar
recuerdo remembrance, reminder, recollection, memory
redención redemption
redimir to redeem
redoble roll
redondo round
reducir to reduce
referencia reference
referente referring
referir (ie) to refer; referirse a to concern
refiere *pres. ind. 3 of* referir
reflexión *f.* reflection, thinking over
reflexionar to reflect, consider
reflexivo reflective, thoughtful

reforma reform, reformation; **casa de reforma** reform school
reformatorio reformatory
reforzar (ue) to strengthen, encourage
refugio refuge
regadera watering can
regalar to give (as a present), make a gift of
regalo gift
regar (ie) to water, irrigate
régimen régime, rule, management, system, policy; **régimen de interinidad** temporary régime (management)
reglamento rules and regulations
regir (i) to rule, govern
regreso return; **de regreso** back
rehacerse to recover, "snap out of it"
reina queen
reincidencia repetition
reír (i) to laugh
reja bar (*at window, door*)
relación relation; **vida de relación** private life; *see* pedir
relacionar to relate
religión *f.* religion
remedio remedy, help (for it); **sin remedio** inevitably, no help for it
remordimiento remorse
rencor rancor
rendido exhausted
renovar (ue) to renew
renunciar a to give up, renounce
reparo difficulty, hesitation
repartir to distribute
repasar to glance over
repentino sudden
repertorio repertory

repetir (i) to repeat
repiten *pres. ind. 6 of* **repetir**
repitiendo *pres. part. of* **repetir**
replanteo plan, lay-out
réplica reply
representación performance, representation
representar to perform, represent
repugnante repulsive
reserva reserve
reservar to reserve
residencia residence (hall for students)
resignación resignation, acquiescence
resistir to resist, stand
resolver (ue) to solve, take care of
respaldar to back, support
respetable respectable
respetar to respect
respetuoso respectful
respirar to breathe
responder to reply, answer, be responsible
responsabilidad responsibility
responsable responsible
respuesta reply
resquemor bad taste, stinging
resto rest
resucitar to revive
resuelto *past part. of* **resolver**
resultado result
resultar to result, turn out; to come off, have an effect
resumen summary
retablo altar screen, decoration; pictures or characters in a story
retama broom corn
retener to retain
retirar(se) to withdraw, retire

retorcer (ue) to twist
retrato portrait
retumbar to resound
reunión *f.* meeting, reunion
revelación revelation
reverencia bow
revisar to review
revista review, magazine
revoltoso disturber, rebel
revolución revolution; **Revolución francesa** French Revolution (*1789–1804*)
revuelo confusion, disturbance
revuelta revolt, disturbance
rey king
rezongar to grumble
ría *pres. subj. of* **reír**
rico rich
ridículo ridiculous
ríe *pres. ind. 3 of* **reír**
rieron *pret. 6 of* **reír**
rigidez *f.* rigidity, strictness
rígido rigid, stiff
río river
risa laugh, laughter
risible laughable
risueño smiling
rito rite, ceremony
Rivas Cherif, Cipriano (*b. 1891*) *prominent leader, especially as a director, in the vanguard movements in the Spanish theater, reported sentenced to death by the Franco government*
robar to steal
Robinsón: Robinson Crusoe (*main title character of Daniel Defoe's celebrated novel (1719). Crusoe alone on an island succeeded in maintaining himself for many years increasingly well through*

his industry, ingenuity, versatility and adaptability)

robinsoniano Robinsonian

roca rock

rodar (ue) to roll

rodear to surround

rodeo circumlocution, way

rodilla knee

rogar (ue) to request, ask

rojo red

Roldán Roland (*nephew of Charlemagne and titular protagonist of the greatest of French medieval epic poems, the "Song of Roland"*)

rollo roll; ball

romance ballad

romanticismo romanticism; romantic thing

romántico romantic

romper to break; **romper a** to break out

Roncesvalles *pass in the Pyrenees where the French epic hero Roland gave up his life (778) in the defense of his uncle Charlemagne's rear guard*

ronda: ronda de esponsales betrothal patrol

ropa clothing

rosa rose

rosal rose bush

rostro face

roto *past part. of* **romper**

rotundo full

roturación ground breaking

rubio blonde

rubita little blonde

rubor blush

ruborizarse to blush

rudimentario rudimentary

rueda wheel, turn of the wheel

Rueda, Lope de (*1510?–1565*) *actor, manager, and author, especially famous for his "pasos" or short farces*

ruede *pres. subj. 1 and 3 of* **rodar**

ruego *pres. ind. 1 of* **rogar**

rugido roar

ruido noise

ruina ruin

ruinoso worthless

rumbo direction; **sin rumbo** aimless(ly)

rumiar to meditate on

Rusia Russia

S

sábana sheet

saber to know, know how, be able; **qué bien sabe** how good it tastes (feels, seems); **qué hondo sabe** how tasty it is

sabrá *fut. 3 of* **saber**

sabio learned (man), wise (man)

sable saber

sabor zest

sabría *conditional 1 and 3 of* **saber**

sacar to take out, get out, pull (draw) out, stick out

saco sack, bag

sagrado sacred

sala room

saldo balance

saldrá *fut. 3 of* **salir**

salgas *pres. subj. 2 of* **salir**

salida setting out, sally, going out. exit

salir to go (come) out, exit

salita little room

saltamontes *sing. and pl.* grasshopper

saltar to jump

salud *f.* health; hello, greetings

saludar to salute, greet, bow

saque *pres. subj. 1 and 3 of* **sacar**

salvaje savage

San Carlos *name of the medical school of the Universidad Central* (*Madrid*)

sanción sanction, penalty, law

sandalia sandal

sangre *f.* blood

sanguíneo sanguine

sano healthy

Santander *important seaport and resort city in Northern Spain on the Bay of Biscay. Population: c. 100,000*

Santiago de Compostela *ancient shrine city, in Galicia, in Northwestern* Spain; **Santiago** St. James

santo saint

sapo toad

satisfacción satisfaction

satisfacer to satisfy

satisfecho *past part. of* **satisfacer**

sé *pres. ind. 1 of* **saber**

sea *pres. subj. 1 and 3 of* **ser**

seco dry, lean

secretaría secretary's office

secretario secretary

secreto secret

seda silk

sedoso silky, silken

seguida: en seguida right away, at once, immediately

seguir (i) to continue, follow

segundo second

seguridad security; *see* **dirección**

seguro sure

seis six

sembrar (ie) to sow

senador senator

sencillez *f.* simplicity

sencillo simple

sensación sensation, impression

sentaos *imp. pl. of* **sentarse**

sentarse to sit down

sentido sense, meaning, good (common) sense

sentimiento feeling

sentir (ie) to feel, regret, feel sorry, hear

señalar to mark, point out

señor Mr., sir

Señora Mrs., madame; **Nuestra Señora** Our Lady

Señorita Miss

señoritismo lordling society, "señorito" behavior

señorito young gentleman, master (of the house), swell, gent

sepa *pres. sub. 1 and 3 of* **saber**

separación separation

separar to separate

ser to be; **es que** the fact is; **eras tú** it was you; **siendo así** if that's the case; **¿qué será de Natacha?** what can be the news from Natacha?; **¿qué sería de mí?** what would become of me?

serenar to calm

sereno serene

seriedad seriousness

serio serious; **en serio** seriously

serpiente *f.* snake

serrar (ie) to saw

servible serviceable

servicio service

servidor servant; at your service

servidumbre *f.* servitude, service, obligation

servilleta napkin

servir (i) to serve

sesenta sixty; **una sesenta y cinco** one (*peseta*) (and) sixty-five (*céntimos*)

setenta seventy; **uno setenta** one (*meter*) (and) seventy (*centimeters*), *or about* five feet seven (*a meter = 39.37 inches*)

seudónimo pseudonym, pen name

si if, whether, why; **sí** yes, indeed; *often untranslatable but makes the word adjacent to it emphatic:* **eso sí que no** certainly not that; **para sí** to herself

siega harvest, reaping

siembran *pres. ind. 6 of* sembrar

siempre always, ever, usual; **lo de siempre** the same old thing; **para siempre** forever

sienta *imp. of* sentar; *pres. ind. 3 of* sentar; *pres. subj. 1 and 3 of* sentir

siento *pres. ind. 1 of* sentar *and* sentir

sierra saw; mountain range (*see* Guadarrama)

siete seven

siga *pres. subj. 1 and 3 of* seguir

siglo century

significar to signify, mean

sigue *pres. ind. 3 of* seguir

siguiendo *pres. part. of* seguir

siguiente following

silbar to whistle, hiss

silencio silence

silencioso silent, quiet

silla chair

sillón armchair

simbólico symbolic(al)

simpático nice, pleasant

simple simple, mere

sin (que) without

sinceridad sincerity

sincero sincere

sino but

siquiera even, at least; **ni siquiera** not even

sirena siren

sirve *pres. ind. 3 of* servir

sistema *m.* system

sitio place

situación situation

soberbio grand, haughty

sobornar to bribe

sobre on, opening on, facing, over; **sobre todo** above all, especially

sobrecogido surprised

sobreponerse (a) to overcome (her tears)

sobresaltado terrified, startled

sobresaltar to startle

sobrio sober

socialismo socialism

sociedad society

sois *pres. ind. 5 of* ser

sol sun

solamente only

solapa lapel

solariego: **casa solariega** manorial (*or* noble) house

solemne solemn

soler (ue) to be accustomed

sólido solid

solo alone, single, empty; **a solas** alone; **sólo** only

solsticio solstice

soltar (ue) to let loose; **¡suelte!** let go!; **soltar la presa** to turn on the water

sombra shade
sombrero hat
sombrilla parasol
someter to submit, subject
somos *pres. ind. 4 of* ser
son *pres. ind. 6 of* ser
sonar (ue) to sound
sonreír (i) to smile
sonríe *imp. and pres. ind. 3 of* sonreír
sonriente smiling
sonrisa smile
soñar (ue) (con) to dream (of)
sopa soup
sorprendente surprising
sorprender to surprise, catch
sorpresa surprise
sospechar to suspect
sostener to support, hold up, sustain
sostenga *pres. subj. 1 and 3 of* sostener
soto grove
soy *pres. ind. 1 of* ser
squí ski, skiing
srta. *abbr. for* señorita
suave gentle
subir to climb
subrayar to italicize, underscore
subvención subsidy
suceder to happen; ¿Qué le sucede? What's the matter with him?
suceso event
sudar to sweat, perspire
sueldo salary
suelo ground, soil, floor
suelte *pres. subj. 1 and 3 of* soltar
suelto loose, free, occasional, inconsequential
suena *pres. ind. 3 of* sonar

sueña *pres. ind. 3 of* soñar
sueño dream
suerte *f.* luck
sufrir to suffer
suicidarse to commit suicide
supercivilizado supercivilized
superioridad superiority
supieran *imperf. subj. 6 of* saber
suprimir to suppress, do away with
surcar to furrow
suspender, to suspend, fail, "flunk"
suspenso suspension, "flunk"
suspiro sigh
sustituir to replace
sustituya *pres. subj. 1 and 3 of* sustituir

T

tabla table, plank, board
tabladillo little stage
tablado platform
tal such, such a; ¿qué tal? how are (is) you (he), how goes it?
talla height, stature
taller shop
también also, too
tambor drum
tamboril tambourine
tampoco neither, not . . . either
tan so, as
tanto so much, as much; tantos so many
tapar to cover
tapete cover
tardar to delay, be long
tarde *f.* afternoon; buenas tardes good afternoon; a la tarde in the afternoon
teatral theatrical

teatrillo little theater, stage within a stage

teatro theater

técnico technical

tela cloth; tela metálica chicken wire

teléfono telephone

telón curtain

tema *m.* theme

temblar (ie) to tremble

temer to fear

temperamento temperament

temperatura temperature, weather

templar to temper

temporada season, time

tender (ie) to stretch, hold out, extend

tendrá *fut. 3 of* tener

tendría *cond. 1 and 3 of* tener

tener to have, hold; tener un fondo de razón to be profoundly right; no tener pies ni cabeza to have no rhyme or reason; ¿qué tienes? what's the matter with you?; no tener nada to have (be) nothing the matter with; tener que + *inf.* to have to

tengo *pres. ind. 1 of* tener

tenis tennis

tentación temptation

teoría theory

terapéutica therapeutics

tercer(o) third

terciopelo velvet

terminar to finish, end

ternura tenderness

terraza terrace

tertulia informal social gathering

tesis *f.* thesis

tesoro treasure

texto text

tiemblan *pres. ind. 6 of* temblar

tiempo time, weather, tense

tienda tent

tiende *pres. ind. 3 of* tender

tiene *pres. ind. 3 of* tener

tierno tender

tierra earth, land, country

tijeras scissors

tío uncle

tipo type

tiranía tyranny

tirano tyrant

tirar to throw; tirar de to pull

títere puppet; (puppet) player

título title

tocar to touch, play

todavía yet

todo all, everything, every; todos everybody; todo lo . . . just as; todo un (sabio) a complete (learned man); del todo entirely

tomar to take

tonillo singsong, monotonous tone

tonto silly, fool(ish), stupid

toque *pres. subj. 1 and 3 of* tocar

torcaz wild

torno: en torno a around

torpe slow, dull, stupid

torrente torrent, "power-house"

toser to cough

totalidad entirety

trabajador workman, working person; industrious

trabajo work

trabar to begin

tradición tradition

traducción translation

traducir to translate

traductor translator

traer to bring, wear, carry, get fetch

trágico tragic

trago draught, swallow

traición treachery; a traición by treachery

traigo *pres. ind. 1 of* traer

traje suit

trajeron *pret. 6 of* traer

trance: a todo trance at any cost

tranquilizar to calm

tranquilo quiet, calm

transformar to transform

transición transition

transigencia tolerance, compromising spirit

transigir to compromise

tranvía *m.* streetcar

trashumante nomadic, wandering

tratar to treat; tratar de to try to; tratarse de to be a question of, be about; se trata de it concerns

treinta thirty

tres three

tribunal court

trigo wheat

trinchera trench

trípode tripod

triste sad

tristeza sadness

triunfante triumphant

triunfar to triumph

triunfo triumph

tropel rush, crowd

trozo bit

tuberculoso tubercular

túnica tunic, gown

turbina turbine

tutela guardianship

tutor guardian

U

u or

Ulises Ulysses (*hero of Homer's "Odyssey"*)

ultimar to finish

último last; por último finally

umbral threshold

un(o) one, a, an; a la una, a las dos, . . . one (for the money), two (for the show), . . . ; unos a few, some, a number of

Unamuno y Jugo, Miguel de (*1864–1936*) *renowned Spanish thinker, critic, philosopher, professor of Greek, rector of the University of Salamanca, author in many literary forms and constant prober of the mysteries of reality*

único only, unique

uniforme uniform

uniformidad uniformity

unir to unite; unirse a to join

unitario unitary (*i. e., not divided into grades*)

universidad university; Universidad Central *name of Spain's top modern university, located in Madrid*

universitario (of the) university

uña fingernail

útil useful; tool

utilidad usefulness

utilizar to utilize

V

va *pres. ind. 3 of* ir

vacaciones *pl.* vacation

vacilación hesitation

vacilar to hesitate

vacío idle, empty-handed

vagabundo vagrant, tramp

vagancia vagrancy, idleness

vago vague

vais *pres. ind. 5 of* ir

val valley

valer to be worth

valiente brave

valor value

valle valley

vamos *pres. ind. 4 of* ir

vanidad vanity

varar to ground *or* beach (a ship), leave high and dry; *fig.,* to rescue, redeem

varios several

varonil manly

vaya *pres. subj. 1 and 3 of* ir

veamos *pres. subj. 4 of* ver

vegetariano vegetarian

veían *imperf. ind. 6 of* ver

veinte twenty

veinticinco twenty-five

veintidós twenty-two

veintinueve twenty-nine

veintiuno twenty-one

velar to veil

ven *imp. of* venir; *pres. ind. 6 of* ver

vencer to conquer

venda bandage

vender to sell

veneno poison

venenoso poisonous

venga *pres. subj. 1 and 3 of* venir

vengo *pres. ind. 1 of* venir

venir to come; ¡venga! let's have it, let it come!

ventana window

veo *pres. ind. 1 of* ver

ver to see; (vamos) a ver let's see

verano summer

verbo verb

verdad truth; de verdad true, real, truly, really, (I) mean it; ¿verdad? isn't it, haven't you, *etc.?*; es verdad it is true

verdadero real, true

verde green, fresh, young

vergüenza shame, disgrace

verso verse

vertebrado vertebrate

vestíbulo vestibule, hall

vestido dress

vestir (i) to dress

vestuario apparel, wardrobe

vez *f.* time; otra vez again; a veces at times; muchas veces often; en vez de instead of

viajante traveling

viajar to travel

viaje trip

víctima victim

victoria victory

vida life, living

viejo old

viene *pres. ind. 3 of* venir

viento wind

vigilar to watch

vinieron *pret. 6 of* venir

violencia violence

violento violent, unnatural, difficult

violín violin

visitar to visit

volcar (ue) to overturn

virtud virtue

visitar to visit

vista view

viste *pres. ind. 3 of* vestir; *pret. 2 of* ver

visto *past part. of* ver; *pres. ind. 1 of* vestir

vivir to live

vivo alive, lively

volar (ue) to fly

volcar (ue) to upset, turn over; volcado hacia fuera turned inside out, extroverted

voluntad will

volver (ue) to return, turn; volver en sí to come to, recover consciousness; volver atrás to back out on (of), turn back on; volver a + *inf.* to do again; volverse to turn

voy *pres. ind. 1 of* ir

voz *f.* voice; a dos voces with two voices, two-part

vuelca *pres. ind. 3 of* volcar

vueles *pres. subj. 2 of* volar

vuelto *past part. of* volver

vuelve *imp. and pres. ind. 3 of* volver

vulgar common

Y

y and

ya now, already, later, then; of course; ya no no longer

yerba grass

yodo iodine

Z

zaguán vestibule

zapato shoe

zarpar to sail, weigh anchor

zas *word used for its sound effect:* thwack

zorro fox